Плащ и МАНТИЛЬЯ

Р О М А Н

КОНСТАНЦИЯ О'БЭНЬОН

МОСКВА

ЭКСМО

2003

Constance O'Banyon

TEXAS PROUD

Перевод с английского *В. Тирдатова*

Серийное оформление художника *С. Курбатова*

Серия основана в 1998 году

О'Бэньон К.

О 11   Плащ и мантилья: Роман / Пер. с англ. В. Тирдатова. —
М.: Изд-во Эксмо, 2003.— 320 с. (Серия «Кружево»).

ISBN 5-699-01824-7

Рейчел поклялась отомстить владельцу гасиенды Каса дель Соль
Ноублу Винсенте, но, выследив его однажды, не смогла нажать на
курок. Возможно, ее остановили воспоминания о его ласковой улыбке
или жарком взгляде его черных испанских глаз? Когда-то она любила
его так же пылко, как сейчас ненавидела. Она уверена, что он предал
ее любовь, соблазнил ее сестру и убил их отца... Но, быть может, ненависть так же слепа, как и любовь?

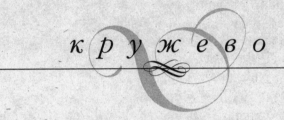

кружево

ПРОЛОГ

Техас, 1867 г.

Женщина медленно поднимала ружье. Она целилась в человека, которого ненавидела больше всего на свете и которого поклялась убить много лет назад. С тех пор как Ноубл Винсенте спешился и повел лошадь к ручью, Рейчел следила за каждым его движением, стараясь точнее прицелиться. В груди ее клокотала такая жгучая ненависть, что перехватывало дыхание. Но Рейчел не торопилась — пять лет она ждала этого момента, так что еще несколько секунд не имели значения.

Губы ее хищно скривились. Стоит нажать на спуск — и Ноубл Винсенте станет последним испанским грандом из Каса дель Соль!

* * *

Ноубл Винсенте надвинул шляпу на лоб, чтобы защитить глаза от яркого солнечного света. Но нигде не было спасения от зноя, терзающего выжженную землю. Развязав шейный платок, он обмакнул его в воду и вытер лицо. Его взгляд устремился через мутный Дип-Крик мимо зарослей мескито к острым щербатым скалам, похожим на зубы акулы. Земная поверхность была неровной — каньоны, узкие овраги и столовые горы чередовались с плоскими участками. Ни на мгновение не прекращающийся ветер колебал соломенного цвета траву, создавая впечатление океанских волн. Одинокий ястреб парил в голубом небе, высматривая добычу. Гремучая змея свернулась на камне, греясь на солнце.

Техас с его суровой красотой и жизнью, полной возможностей, был не слишком гостеприимным краем и предназначался не для слабых духом. Культуры индейцев и белых, мексиканцев и испанцев соседствовали, как на лоскутном одеяле, на этой земле, полной противоречий. Но все ее обитатели сходились в одном — они любили Техас.

Воспоминания нахлынули на Ноубла, застарелая ненависть, бесплодные сожаления переполняли его сердце, но он сдерживал их усилием воли. В конце концов, он был закаленным человеком. Ему пришлось видеть слишком много бессмысленных смертей на войне. И многие из погибших были почти мальчиками, толком еще не начавшими жить.

Два послевоенных года Ноубл скитался без определенной цели, зная лишь одно: он не может вернуться домой. Странствия привели его в Мексику; там он стал одним из вакерос[1] на ранчо, где разводили лошадей, — существом без имени, без прошлого и без будущего. Долгое время Ноубл заставлял себя подниматься по утрам, пытаясь найти какую-нибудь причину, чтобы продолжать

---

[1] Вакеро — пастух (исп.).

жить, — месть, ненависть, что угодно. Два месяца назад он понял, что не сможет вырваться из паутины прошлого, пока не окажется дома.

Ноубл вдыхал знакомый едкий запах кедра, смешанный с ароматами разноцветных полевых цветов, а воспоминания мелькали в голове одно за другим. Незачем лгать самому себе — хотя он и поклялся никогда не возвращаться в Техас, земля звала его назад. Эта земля была у него в крови, в каждом клочке плоти, в каждом вздохе.

Не ведая, что смерть подкрадывается к нему, Ноубл перевел взгляд на запад, в сторону Каса дель Соль — ранчо его семьи. Если он будет ехать быстро, то доберется домой дотемна. Но даже теперь какой-то внутренний голос подсказывал ему, что нужно сесть на лошадь и ускакать прочь, не оглядываясь.

«Нет! — сердито подумал Ноубл. — На этот раз я не позволю ненависти и подозрениям помешать мне. Я вернусь домой».

Годы войны сформировали характер Ноубла — он уже не был тем юношей, который уезжал отсюда пять лет назад. Он вернулся сюда, чтобы смыть пятно с имени Винсенте, и не уедет, пока не сделает этого.

* * *

Рейчел следила за Ноублом, не снимая палец со спускового крючка, покуда он жадно пил из ручья, сложив ладони чашечкой. Солнечные лучи кололи ее, как кинжалы, потная одежда прилипала к телу, во рту ощущался вкус пыли, каждый вздох обжигал горло. От жажды язык приклеивался к небу, но, хотя она могла дотянуться рукой до походной фляги, приходилось терпеть, так как любое движение могло ее выдать.

Продолжая наблюдать за Ноублом сквозь ружейный прицел, Рейчел спрашивала себя, о чем он может думать в этот момент. Ее взгляд скользнул по его крепкому подбородку. Ноубл не слишком изменился, хотя и выглядел немного старше. Влажные угольно-черные волосы завивались на затылке, пропотевшая рубашка, прилипшая к груди, подчеркивала широту плеч, а кожаные испанские брюки — стройность фигуры. Она видела, как он небрежно бросил шляпу на седло и прислонился спиной к тополю, словно в этом мире его ничто не заботило.

Внезапно Ноубл посмотрел в ее сторону, и Рейчел почти ощутила жар его темных глаз. Эти глаза она помнила лучше всего. Когда он смеялся, они как будто весело плясали, а когда сердился — в них сверкало пламя, грозившее испепелить все, на что они были обращены. Но Рейчел помнила также его высокомерное молчание и умение скрывать подлинные чувства под маской равнодушия.

Почувствовав неожиданную слабость, она с усилием набрала воздух в легкие, размышляя, чем вызвано это ощущение — страхом или затянувшимся ожиданием. Преподобный Робинсон однажды читал проповедь о том, как часто сатана таится под красивой внешностью. А Ноубл Винсенте был, бесспорно, красив и столь же бесспорно одержим сатаной. С тех пор, как он уехал, не прошло и дня, чтобы Рейчел не думала о нем и не молилась о его смерти. Но теперь она наконец отомстит за отца!

Прижавшись щекой к ружейному прикладу, Рейчел облизнула сухие губы и взвела курок. Никто не станет порицать ее, если она убьет Ноубла. Лишь немногие в округе Мадрагон будут оплакивать его, а большинство только поблагодарит Рейчел за то, что она положила конец его жалкой жизни.

Стоит нажать на спуск — и он умрет. Почему же она колеблется? Разве не об этом она мечтала долгие годы?

Ноубл продолжал смотреть в ее сторону, и, хотя Рейчел надежно спряталась, она испытывала странное чувство, будто он может ее видеть. Ее рука дрогнула, она сильнее прижала ружье к плечу и прицелилась ему прямо в сердце. Но пальцы ее словно застыли, она так и не смогла нажать на спуск. С бешено колотящимся сердцем Рейчел наблюдала, как Ноубл вскочил в седло и направил своего мерина в сторону Каса дель Соль. Потом она медленно опустила ружье, ощущая тошноту.

Оказывается, не так-то легко убить человека — даже Ноубла Винсенте! Ладно, сегодня она позволила ему жить, потому что только трус стреляет в человека, стоящего к нему спиной. Но ничего, она еще встретится с ним, и тогда у него не останется ни одного шанса, она заставит Ноубла признаться, что он подло убил ее отца, а потом пристрелит его, глядя ему в лицо. Пускай он увидит ее последней, прежде чем смерть закроет ему глаза!

1.

Ноубл приближался к Каса дель Соль со странным ощущением. Несмотря на столь долгое отсутствие, у него не было чувства, что он возвращается домой. Его мать умерла десять лет назад, сестра Сабер была ребенком, когда он покинул гасиенду, а связи с отцом Ноубл не поддерживал после отъезда из Каса дель Соль. И теперь он сомневался, что отец будет рад возвращению сына, который навлек на семью столько бед.

Когда Ноубл въезжал в ворота, прибитая к ним табличка заскрипела, качаясь на ржавых петлях при очередном порыве ветра. Посмотрев вверх, он едва смог прочитать название ранчо, до такой степени табличка пострадала от непогоды. Ноубл осмотрелся вокруг, всюду подмечая острым взглядом фермера свидетельства заброшенности. Северное пастбище, где некогда паслась тысяча голов скота, ныне пустовало. Повсюду виднелись признаки засухи — трава казалась соломенной, а знойный ветер гонял во все стороны перекатиполе. Призрачное безмолвие нарушали только одинокие трели пересмешника и карканье ворона.

Отец как-то сказал ему, что Техас — земля не для тех, кто слаб духом, и он был прав. Эта земля едва не погубила Ноубла и все еще могла это сделать, хотя он не сдался бы без борьбы.

Ноубл приближался к гасиенде, и ему все больше становилось не по себе. Статные дубы, растущие вдоль дороги к дому, были едва живы. Их ветки горестно поникли, а большая часть листьев приобрела осеннюю окраску, хотя был разгар лета. Сухая листва хрустела под лошадиными копытами. Мать Ноубла привезла эти дубы в Техас молодыми деревцами, когда приехала сюда, чтобы выйти замуж за его отца.

Пришпорив мерина, Ноубл выехал на склон, откуда открывался вид на гасиенду, которая некогда была одной из достопримечательностей Техаса. Сам Сэм Хьюстон[1] часто гостил в Каса-дель Соль. Его дружба с отцом Ноубла началась давно — они сражались бок о бок при Сан-Хасинто. И позже, когда Хьюстон стал президентом республики Техас, он не забыл старого друга. Теперь Сэм Хьюстон был мертв, и что-то неуловимое умерло вместе с ним. Теперь Техас был уже не тот, а Каса дель Соль казалась напоминанием о прошлом, ушедшем навсегда.

Ноубл почувствовал облегчение, увидев, что гасиенда не исчезла, хотя земля вокруг дома была усеяна обломками черепицы. Копыта его лошади гулко цокали по камням, когда он ехал через двор. В прудах плавали мертвые листья, и вода больше не текла из мраморных фонтанов, привезенных из Испании, когда строился дом.

Это место явно пустовало. Когда-то в Каса

---

[1] Х ь ю с т о н Сэмюэл (1793—1863) — американский военный и политический деятель, в 1836—1838 гг. президент самопровозглашенной республики Техас.

дель Соль работали более сотни вакерос и слуг. Куда же они все делись?

Спешившись, Ноубл зашагал по хрустевшим под сапогами сломанным плиткам. Глубоко вдохнув, он поднялся на крыльцо и распахнул массивную парадную дверь. Внутри было темно, в воздухе ощущался запах пыли и плесени. Когда глаза Ноубла привыкли к сумраку, он увидел, что вся мебель и ценные картины из холла исчезли. Сапог его задел осколок стекла, и, наклонившись, он подобрал куски разбитой вазы, которой владело несколько поколений его предков.

— Я вернулся, отец!

Голос Ноубла отозвался гулким эхом в высоком сводчатом потолке, но ответа не последовало.

Он направился в кабинет отца, однако там было пусто, как и в других комнатах.

— Отец, где ты?

С замирающим сердцем Ноубл взбежал по ступенькам, двинулся по темному коридору к спальне отца, открыл дверь и шагнул внутрь.

Пусто.

— Отец, я дома, — прошептал он, понимая, что никто его не услышит.

Сгорбившись, словно под тяжестью, опустившейся на его плечи, Ноубл медленно побрел вниз. Он помнил эту комнату согретой теплом любящей семьи, напоенной запахами лимона, кожи и старого дерева...

Неужели отец умер? Быть может, дон Рейнальдо Винсенте, хозяин Каса дель Соль, не вынес позора и бесчестья, которые обрушились на его единственного сына? Но где тогда его сестра Сабер?

Войдя в музыкальную комнату матери, Ноубл без сил прислонился к стене. Материнское форте-пиано — свадебный подарок отца — исчезло... Он закрыл глаза, представляя эту комнату наполнен-ной музыкой и смехом. Ему казалось, что он ви-дит мать за роялем, ее проворные пальцы, бегаю-щие по клавишам...

Ноубл тряхнул головой, пытаясь отогнать при-зраки прошлого, но это было не так-то легко. Одиночество давило на него тяжким бременем. Может быть, отец и сестра уехали навестить род-ственников в Испанию? Но нет, хозяин никогда не покинул бы свое ранчо, когда засуха подверга-ет опасности его стада.

Хорошенькая малютка Сабер, с нежным фар-форовым личиком и голубыми глазами матери, была тринадцатилетней девочкой, когда Ноубл покинул дом. Теперь ей должно быть восемнад-цать — она уже взрослая сеньорита. Он почувст-вовал стыд, что так мало думал о ней все эти годы. Сейчас ему мучительно хотелось увидеть сестру, убедиться, что с ней все в порядке.

— Поднимите руки, сеньор! — раздался вдруг позади него громкий голос. — Медленно — если вам дорога жизнь.

Человек говорил по-испански, и Ноубл ощу-тил холодное дуло, упершееся ему в спину.

— Повернитесь, сеньор, только без резких движений. Я не буду испытывать угрызений со-вести, если мне придется убить вас.

Ноубл поднял руки и медленно повернулся.

На его губах заиграла улыбка, когда он увидел Алехандро Саласара. Представители трех поколений семьи Саласар носили звание старшего вакеро в Каса дель Соль. Звание это принадлежало Алехандро столько времени, сколько Ноубл себя помнил.

— Неужели ты застрелишь меня, Алехандро? — спросил он.

Изумление и недоверие на морщинистом лице старика сменились радостью. Алехандро был высоким и худощавым, его волосы и усы совсем поседели, но глаза оставались блестящими и почти черными.

— Сеньор Ноубл! Слава богу, вы наконец вернулись!

— Хорошо же ты меня встречаешь, Алехандро, — отозвался Ноубл. — Не возражаешь, если я опущу руки?

В глазах старика блеснули слезы.

— Я ждал вас каждый день, хозяин, и никогда не переставал надеяться, что вы вернетесь.

Ноубл положил руку на плечо Алехандро, словно боялся не устоять под тяжестью слов, которые старик мог сейчас произнести. Слов, подтверждающих то, что он подозревал и во что не хотел верить. Старший вакеро никогда не назвал бы его хозяином, будь отец жив.

— Где мой отец и моя сестра? — собравшись с духом, спросил Ноубл.

Алехандро печально покачал головой:

— Должен с прискорбием известить вас, что ваш отец скончался два месяца назад. Он долго болел. — Старый вакеро вытер слезу со щеки. —

Ему так хотелось дожить до вашего возвращения, но он был слишком слаб. Можно считать благом, что все его страдания в прошлом.

Горе сжало сердце Ноубла. Ему понадобилось время, чтобы вновь обрести дар речи:

— Ты был с ним до конца?

— Да, хозяин.

Угрызения совести обожгли Ноубла, словно внутри у него притаилась ядовитая змея. Это ему следовало быть с отцом в его последние дни! Но он был слишком поглощен собственными неприятностями.

— Отец спрашивал обо мне?

— Каждый день, пока его ум был ясен. А потом он разговаривал только с вашей доброй матушкой, как будто видел ее рядом. Мне бы хотелось верить, что они сейчас вместе.

— А моя сестра?

— Когда ваш отец заболел, он отослал сеньориту Сабер к вашей двоюродной бабушке в Джорджию. Сеньорита умоляла его разрешить ей остаться, но он не позволил. Хорошо, что она не видела его кончины. Это разбило бы ей сердце.

Ноубл пытался представить себе повзрослевшую Сабер. Она осталась его единственной родственницей, и ему хотелось как можно скорее увидеть ее.

— За сеньоритой Сабер нужно послать, хозяин, — сказал Алехандро, словно читая мысли Ноубла. — Это ее дом, и она нуждается в вас.

— Она знает, что отец... умер? — Ноубл с трудом заставил себя выговорить это слово.

— Да, хозяин. Сеньорита Сабер будет счастлива увидеть вас. Она не хотела уезжать, боясь, что вы вернетесь в ее отсутствие.

— Ты прав — Сабер должна вернуться. Я отправлю письмо моей двоюродной бабушке Эллен с просьбой подготовить ее к отъезду. Но сначала нужно навести здесь порядок. — Ноубл окинул взглядом комнату. — Похоже, воры забрали все, что не смогли уничтожить. Как я могу позволить ей вернуться, когда дом в таком виде? Сначала я должен сделать его пригодным для жилья.

Алехандро улыбнулся:

— Не волнуйтесь, хозяин, грабители не смогли забрать все. Когда ваш отец слег, он велел мне спрятать все ценное. Большая часть мебели на сеновале и в общежитии для работников.

— А мамин рояль?

Ноубл не знал, почему рояль так важен для него, хотя в доме было много куда более ценных вещей. Но он помнил маленькую Сабер, которая взбиралась на табурет, болтала короткими ножками и касалась клавиш миниатюрными пальчиками.

— Рояль в порядке. — Старик покачал головой. — Пьяные грабители приходили много раз, били стекла, шарили по комнатам. Но однажды мои сыновья обстреляли их, и эти трусы уже не возвращались. Правда, они увели большую часть скота. Нам удалось спасти меньше сотни голов и только пять лошадей. — Алехандро опустил голову. — Мне стыдно, что я вас подвел.

Ноубл ощутил глубокую благодарность к старику, остававшемуся в Каса дель Соль, когда все покинули его. Он мог лишь догадываться о трудностях, с которыми столкнулись Алехандро и его семья.

— Ты сделал больше, чем можно было ожидать. Я в неоплатном долгу у тебя и твоей семьи.

— Вы дома, хозяин, и мне этого достаточно. Моя жена Маргрета сохранила вашу комнату в том виде, в каком вы ее оставили. — В темных глазах старика мелькнуло беспокойство. — Вы ведь не уедете снова?

Ноубл внезапно ощутил всю тяжесть свалившейся на него ответственности. Но он знал, что́ ожидал бы от него отец.

— Нет, старина. Я останусь дома.

— Тогда мы снова сделаем Каса дель Соль процветающей гасиендой! — улыбнулся Алехандро. — Как только другие вакерос узнают, что вы здесь, они тоже вернутся, хозяин.

В глазах Ноубла отразилось страдание.

— Я не могу платить им жалованье, Алехандро. — Он судорожно глотнул. — Я не в состоянии платить даже тебе.

— Платить?! — с возмущением воскликнул старший вакеро. — Неужели я слышу от вас такие слова? Это такой же мой дом, как и ваш! И я, и мой отец родились здесь, а мой дед прибыл из Испании вместе с вашим дедом. То же касается и многих других. Они вернутся, потому что всегда работали на хозяев Каса дель Соль.

Ноубл уставился в разбитое окно, не зная, как выразить свою признательность.

— Это будет нелегко, Алехандро, — тихо произнес он.

— Вы только скажите, что надо делать, и все будет в порядке.

Повернувшись, Ноубл встретил спокойный и обнадеживающий взгляд Алехандро.

— Сначала мы должны восстановить стадо. Нам также понадобятся лошади, а для этого нужны деньги.

Старик кивнул:

— Ваш отец оставил вам письмо. Возможно, там окажется что-нибудь полезное.

Когда вакеро вышел, Ноубл подошел к окну и посмотрел на пыльный двор. Как сможет он занять место отца, не обладая ни его умом, ни энергией? Но ему придется сделать это, чтобы спасти Каса дель Соль — в память об отце и всех тех, кто создавал их ранчо на пустом месте.

Вернулся запыхавшийся Алехандро.

— Вот письмо, хозяин. Прочтите, что написал ваш отец. Увидите — все опять будет хорошо. Вас не сломят трудности — вы слишком похожи на отца.

Ноубл окинул взглядом разоренную комнату, пытаясь представить ее себе такой, какой она была прежде.

— Надеюсь, ты прав.

— Но не забывайте: многие попытаются остановить вас, — предупредил Алехандро.

— Пускай. Худшее они уже сделали.

Вскрывая письмо, Ноубл пытался скрыть острую душевную боль. Ничего — больше его не удастся застигнуть врасплох. И он уже никогда не станет доверять женщине.

Почерк отца был неразборчивым, а бумагу покрывали кляксы. Ноубл с трудом вчитывался в каракули:

«Сын мой!

Когда ты прочитаешь это, меня уже не будет в живых. Не горюй обо мне, а займи принадлежащее тебе по праву место хозяина Каса дель Соль. Не позволяй никому посягнуть на твое наследство. Я поместил деньги в банк в Новом Орлеане. Свяжись с тамошним нотариусом Джорджем Нанном. Он честный человек, так что можешь полностью ему доверять. У мистера Нанна есть копия моего завещания, и он поможет тебе во всем. Пошли за сестрой, как только почувствуешь, что она может вернуться домой, не подвергаясь опасности. Всегда держитесь вместе! Моя душа покинула эту землю, но сердце остается с вами».

Ноубл долго смотрел на лист бумаги. Ему казалось, будто отец говорил с ним из могилы, и это придавало Ноублу смелости, необходимой для того, что предстояло сделать. Странно только, что отец предпочел обратиться к нотариусу в Новом Орлеане, а не в Техасе.

Ноубл спрятал письмо в конверт и положил его в нагрудный карман.

— Кого я могу послать в Новый Орлеан с поручением, Алехандро?

— Моего старшего сына Томаса, хозяин, — без колебаний ответил вакеро. — Он парень надежный.

— Тогда сразу же пришли его ко мне. Я составлю необходимые документы. Он сможет уехать в ближайшие дни?

— Конечно, хозяин. Он исполнит любое ваше приказание.

Ноубл тяжело вздохнул:

— Надеюсь, Алехандро, я смогу стать таким, каким хотел меня видеть мой отец.

— Каждый сам творит свою судьбу, хозяин.

— Да, мой друг. Мы сами создаем нашу судьбу.

2.

Спешившись, Рейчел бросила поводья Зебу — старому ковбою, более сорока лет работающему на ранчо «Сломанная шпора». Зеб казался такой же частью ранчо, как и сама земля. Когда он начал отставать от более молодых ковбоев, Рейчел поручила ему уход за лошадьми, что его вполне устраивало. Зеб любил лошадей, и они отвечали ему тем же.

Обнажив в улыбке беззубые десны, Зеб почтительно снял пыльную шляпу и хлопнул ею по кривой ноге. Длинные седые волосы упали ему на плечи.

— Жаркий сегодня денек, мисс Рейчел, а вы, похоже, скакали во весь опор. — В его голосе не слышалось упрека — он знал, что если Рейчел утомила лошадь, то для этого была серьезная причина. — Сейчас протру Фаро влажной тряпкой, чтобы она остыла.

Однако мысли Рейчел были заняты другим. Рассеянно кивнув Зебу, она направилась к дому.

Уинна Мей, экономка и кухарка, вышла из кухни, вытирая руки о фартук. Рейчел было двенадцать лет той зимой, когда ее отец нашел Уинну Мей у реки, полузамерзшую и жестоко избитую, со следами ожогов на руках, и привез на ранчо. Вполне естественно, что, поправившись, Уинна Мей осталась в «Сломанной шпоре»: сначала в качестве кухарки, а потом и экономки. Она никогда не сидела без дела и управляла домом, как собственной территорией. Немногие осмеливались ей противоречить.

О прошлом Уинны Мей было известно мало. Никто ее не расспрашивал, и сама она ничего не рассказывала. Смуглая кожа и выдающиеся скулы указывали на то, что она наполовину индианка. Ее черные волосы, стянутые тугим узлом на затылке, были лишь слегка тронуты сединой, но лицо напоминало Рейчел карту, висевшую в классной комнате, — морщины свидетельствовали о нелегкой жизни, перенесенных горестях и боли, которую она старалась скрывать.

Рейчел не знала, что бы она делала без Уинны Мей — особенно после смерти отца.

Уинна Мей кивнула в сторону узкой лестницы:

— Там твоя сестра. Сказала, что хочет отдохнуть и чтобы ее не беспокоили.

Сняв шляпу и перчатки, Рейчел бросила их на кожаный диван и с тоской закатила глаза. Сегодня ей особенно не хотелось видеть свою сестру.

— Делия приезжает в «Сломанную шпору», только если чем-нибудь недовольна или ей что-то нужно.

Уинна Мей молча кивнула и вернулась в кухню.

Рейчел догадывалась, зачем Делия приехала из Остина в такую жару. Последние два года сестра убеждала Рейчел продать «Сломанную шпору» ее мужу Уиту и, очевидно, прибыла с целью возобновить уговоры.

Поднимаясь по лестнице, Рейчел упрекала себя за то, что нарушила обещание, данное на могиле отца, и позволила Ноублу уехать. Ведь она же держала его на мушке! Когда еще представится такой случай?..

Собравшись с духом, Рейчел постучала в дверь спальни, которая принадлежала ее сестре, покуда та не вышла замуж за Уита Чандлера и не переехала в Остин. В комнате не делали никаких перестановок, и она всегда была готова к редким визитам Делии.

Недовольный голос пригласил Рейчел войти. Она увидела свою сестру, лежащую на кровати в нижней юбке и обмахивающуюся веером из шелка и слоновой кости.

— Почему здесь всегда так жарко? — раздраженно осведомилась Делия, убрав с лица золотистую прядь волос. — Просто нечем дышать!

Подойдя к окну, Рейчел раздвинула тяжелые зеленые занавеси и распахнула створки.

— Если бы ты впустила свежий воздух, Делия, тебе бы не было так жарко.

— Я привыкла, что этим занимаются слуги. Но Уинна Мей никогда не заботится о моих удобствах. Не знаю, почему ты оставила ее здесь после смерти папы. Меня просто в дрожь бросает, когда я вижу эти мерзкие шрамы у нее на руках.

— Уинне Мей хватает дел и без тебя, Делия. И тебе отлично известно, что я оставила ее, потому что нуждаюсь в ней и потому что это ее дом. А что касается шрамов, то неужели у тебя нет ни капли жалости? Должно быть, с ней в юности произошло нечто ужасное.

Делия нахмурилась:

— Она никогда меня не любила, поэтому и я не собираюсь ее жалеть. Предоставляю это тебе.

— Уинна Мей со всеми обращается одинаково. Ты просто ее не понимаешь.

Делия села на кровати и с неодобрением огляде́ла сестру. На Рейчел была пропыленная зеленая рубашка, кожаные ковбойские штаны и стоптанные коричневые сапоги. Ветер растрепал ее золотисто-рыжеватые волосы, унаследованные от отца. Конечно, нельзя было не признать, что ярко-зеленые глаза и тонкие черты лица делают Рейчел не только хорошенькой, а почти красивой. Но для женщины она была высоковата, и мужчин наверняка отпугивали если не ее рост, то характер и манера одеваться.

— Чего ради ты одеваешься по-мужски, Рейчел? Неужели у тебя совсем нет гордости? Если тебя не заботит, что о тебе говорят люди, подумай хотя бы обо мне и Уите. Все, что ты делаешь, отражается на нас с ним и может повредить его шансам баллотироваться в губернаторы.

Рейчел усмехнулась:

— Хотела бы я посмотреть, как ему это удастся

при наличии военного губернатора-янки и отсутствии у техасцев права голосовать!

— Ну, рано или поздно Техас примут в Союз, — раздраженно отозвалась Делия, с удвоенной энергией обмахиваясь веером. — Уит собирается стать первым избранным губернатором после окончания этой ужасной войны.

— Техас не более чем опорный пункт янки, — с отвращением заявила Рейчел. — Не уверена, что мы когда-либо освободимся от ярма Вашингтона и увидим свободные выборы.

— Много ты понимаешь! Уит поддерживает связи со многими влиятельными людьми. И наши друзья не сомневаются, что через три года Техас вновь будет принят в Союз. Когда это произойдет, Уита изберут губернатором, и он поведет Техас к блестящему будущему.

Рейчел почти слышала, как Уит изрекает эти фразы тем, кто согласен его слушать.

— Кстати, я никогда толком не знала, кому сочувствовал Уит — янки или Конфедерации, — заметила она. — Он ведь никогда четко не излагает свои взгляды.

— Это и называется политикой, дорогая сестра! Приходится подыгрывать то одной стороне, то другой, покуда не определится победитель. — Делия вновь ловко перевела разговор на Рейчел. — Как бы то ни было, Уиту менее всего нужно, чтобы его свояченица попирала все условности и скакала верхом по полям, словно ковбой.

Рейчел слышала эти аргументы и раньше, и они ее нисколько не трогали. Сегодня она тем более была не в настроении выслушивать нотации. Подойдя к противоположному окну, Рейчел распахнула и его, чтобы создать в помещении хотя бы подобие сквозняка.

— Мне действительно приходится много ездить верхом — такое большое ранчо, как «Сломанная шпора», не может существовать само по себе. Папа оставил его на мою ответственность, и если то, как я одеваюсь, оскорбляет твоего мужа, меня это не заботит.

Делия зевнула и потянулась.

— Уит по-прежнему хочет снять с тебя эту ответственность, но тебе ведь надо обязательно делать все самой. Посмотри на себя — ты смуглая, как индианка; еще темнее Уинны Мей!

Рейчел села на кровать рядом с сестрой. Конечно, Делия с ее золотистыми волосами, кремовой кожей, большими голубыми глазами и унаследованной от матери стройной миниатюрной фигуркой была необычайно красива. Рядом с ней Рейчел чувствовала себя неуклюжей, но она любила сестру и нисколько ей не завидовала.

— Если бы только я могла заставить тебя понять, какие чувства я испытываю к ранчо, Делия! Папа вложил всю свою душу в «Сломанную шпору», они с мамой похоронены здесь. Это мой дом, и я никому его не продам — даже твоему мужу.

Делия нахмурилась:

— Никогда не прощу папе то, что он оставил ранчо тебе. Такого унижения мы с Уитом просто не можем перенести.

— Папа знал, как ты ненавидишь ранчо и как я люблю его. Он оставил тебе городской дом — который ты, кстати, тут же продала, — и много другого имущества. Помню, что, когда прочитали его завещание, ты была вполне довольна.

— Возможно, но с тех пор Уит убедил меня, что «Сломанная шпора» — настоящая драгоценность. Ты отлично знаешь, Рейчел, что папа любил тебя куда больше, чем меня. Вот почему он оставил тебе ранчо.

Рейчел вдруг стало жалко сестру, которая иногда выглядела настоящим ребенком, нуждающимся в заботе и ласке. Их отец никогда не скрывал, что Рейчел была его любимицей.

— Ты же знаешь, этот дом всегда будет твоим, Делия. Ты можешь приезжать сюда, когда захочешь, и жить здесь, сколько тебе угодно.

Выражение лица Делии стало жестким.

— Меня возмущает твое упрямство, Рейчел! Неужели тебе не хочется освободиться от утомительной обязанности содержать ранчо таких размеров? Только подумай — ты могла бы поехать, куда пожелаешь! Ты всегда говорила, что хочешь путешествовать. Продав ранчо, ты сможешь побывать в Сан-Франциско или поехать в Остин и пожить у нас. Ты такая красавица и произвела бы там настоящий фурор! У тебя появилась бы куча ухажеров...

— Пойми, Делия, я не хочу уезжать отсюда. Если бы я продала «Сломанную шпору» Уиту, это было бы то же самое, что продать своих предков, продать папу. А я этого никогда не сделаю.

Делия схватила сестру за плечи и горячо воскликнула:

— Перестань думать о мертвых, Рейчел!

— Никогда!

Увидев гнев в зеленых глазах сестры, Делия отпустила ее. Огненный темперамент Рейчел был под стать ее рыжим волосам. Делия понимала: провоцировать сестру неразумно, если она надеется когда-нибудь убедить ее продать ранчо.

— Как ты можешь даже предлагать такое? — продолжала Рейчел. — Я не успокоюсь, пока убийца папы не отправится на тот свет! — Спрыгнув с кровати, она подошла к окну и бросила через плечо: — Кстати, он вернулся.

— Кто? — озадаченно спросила Делия.

— Ноубл Винсенте.

3.

Делия вскочила, чувствуя, как колотится ее сердце.

— Ноубл здесь? Ты уверена?

— Да. Я видела его.

— Я знала, что он вернется! — Губы Делии скривились в самодовольной усмешке. — У меня не было сомнений в том, что Ноубл не сможет долго находиться за пределами Техаса.

Рейчел внимательно посмотрела на сестру. Глаза Делии блестели, лицо раскраснелось от возбуждения. Когда-то Делия внушила себе, что влюблена в Ноубла, и это явилось началом всех бед, приведших к смерти их отца.

— Ты знаешь, сегодня я могла его убить. Я держала его на прицеле — и позволила ему уехать.

Делия схватила сестру за плечо и повернула ее к себе так резко, что Рейчел поморщилась от боли.

— Ты с ума сошла! Я не хочу, чтобы Ноубл пострадал — слышишь? Не забывай, что любой скандал, который коснется нашей семьи, уничтожит все шансы Уита победить на выборах!

Рейчел оттолкнула Делию и сердито уставилась на нее.

— И ты еще беспокоишься о скандалах? После того, что произошло между тобой и Ноублом? Твое счастье, что сплетники об этом не пронюхали, иначе политическая карьера Уита закончилась бы, не успев начаться!

— С твоей стороны жестоко напоминать мне о прошлом, Рейчел. Я не хочу об этом думать.

— Ладно, прости. Но предупреждаю тебя, что в один прекрасный день Ноубл Винсенте будет стоять передо мной на коленях! Правда, я еще не решила, каким образом этого добиться. — Рейчел не могла отказать себе в удовольствии поддразнить сестру. — Я могу сохранить Ноублу жизнь и разбить ему сердце. Он всегда был неравнодушен к хорошеньким девушкам — возможно, этим я и воспользуюсь. Как думаешь, Делия, я достаточно хороша для него?

Делия презрительно усмехнулась:

— Вряд ли, сестренка. Чем ты надеешься его привлечь — мужской одеждой? Никто даже не воспринимает тебя как женщину. — Она снова окинула Рейчел критическим взглядом. — Кроме того, ты ничего не понимаешь в мужчинах. Не думаю, что Ноубл заинтересуется такой девушкой, как ты.

— Насколько я помню, тобой он тоже не слишком интересовался. — Рейчел не без злорадства увидела, как краска сбежала с лица сестры. — Ноубл слегка поволочился за тобой, и ты сама упала в его объятия, дав ему все, что он от тебя хотел. Ноубл не любил тебя — иначе он бы женился на тебе, узнав, что ты ждешь от него ребенка.

Веки Делии опустились, как у раненой птицы.

— Я совершила ошибку и, видит бог, заплатила за нее.

Рейчел ощутила укол совести и смягчила тон:

— Ноублу не нужны были ни ты, ни ребенок. Ему наплевать, что ты его потеряла.

— Ты не понимаешь — это не его вина...

Но Рейчел давно устала от попыток Делии защитить Ноубла.

— Ты должна думать о муже. Мне не слишком нравится Уит, но он, по крайней мере, женился на тебе и позаботился, чтобы никто не узнал о ребенке.

— А ты всегда была несправедлива к Ноублу. Вспомни: ведь суд не нашел никаких доказательств того, что именно он застрелил нашего отца.

Рейчел задумчиво посмотрела на сестру:

— Большинство наших друзей уверены, что папу убил Ноубл. К счастью для тебя, они считают, что ссора вышла из-за прав на воду в Брасос.

— Наши друзья и соседи всегда ненавидели Винсенте из-за их богатства и могущества. Они были рады любому предлогу вывалять имя Винсенте в грязи.

— А я считаю, и что Ноубл виновен! — Глаза Рейчел вспыхнули зеленым пламенем. — И больше не желаю говорить о нем — особенно с тобой!

Делия опустила взгляд:

— Если уж на то пошло, в смерти папы виновата я, а не Ноубл.

Рейчел начала терять терпение:

— Нечего защищать его! Если ты считаешь, что он невиновен, держи свои мысли при себе.

Плечи Делии поникли — она выглядела очень несчастной.

— Я любила Ноубла так сильно, что не сомневалась в его любви ко мне. Но я ошиблась. — Она покачала головой. — Он просто был очень добр. Если бы ты только знала, как он был добр ко мне!

— То, что он сделал с тобой, называется не добротой, а другим словом. Лично я предпочитаю, чтобы Ноубл меня ненавидел. И вот увидишь, он страстно возненавидит меня, прежде чем я с ним покончу!

Делия покачала головой. Взгляд ее был отсутствующим, а голос — еле слышным.

— Ноубл не такой, как другие мужчины. Если бы папа не умер, он бы женился на мне. У него доброе сердце.

Рейчел уставилась на сестру так, словно видела ее впервые.

— Твоя любовь к Ноублу сделала тебя слепой! Интересно, как далеко ты могла бы зайти, пытаясь защитить его?

Делия села на подоконник, опустив подбородок на колени.

— Ты понятия не имеешь, как далеко зашел Ноубл, пытаясь защитить *меня*. Если бы ты знала... — Она не договорила.

— Знала что? — осведомилась Рейчел. — Давай-ка вспомним, что произошло в тот день. Во-первых, ты сообщила папе, что беременна от Ноубла, поэтому он отправился в Каса дель Соль, чтобы поговорить с ним. Во-вторых, тело папы обнаружили на берегу Брасос со стороны Каса дель Соль. В-третьих, рядом с телом нашли револьвер Ноубла. Разве это не указывает на его вину? Какие еще доказательства тебе нужны?

Делия с вызовом тряхнула золотистой гривой.

— Давай вспомним кое-что еще, Рейчел! Во-первых, у Ноубла не было никаких причин убивать папу. Он мог просто отказаться жениться на мне и покинуть страну, что в итоге и сделал. Во-вторых, Ноубл не так глуп, чтобы убить человека и оставить оружие рядом с телом в качестве улики против себя.

Рейчел не могла больше продолжать этот разговор. Она не простила до конца сестре ту роль, которую та сыграла в гибели их отца, но старалась скрывать свои чувства. Ведь Делия была ее единственной родственницей и к тому же нередко нуждалась в ней. Рейчел знала, что ее брак с Уитом не был счастливым и что Делия, хотя она в этом и не признается, приезжает в «Сломанную шпору», чтобы обрести здесь покой.

— Вставай! — решительно сказала Рейчел, надеясь положить конец разговору о Ноубл. — Одевайся, и мы поужинаем на веранде — там прохладнее. Тебе ведь нравится, как готовит Уинна Мей.

Но Делия, казалось, не слышала ее слов.

— Я не виновата в смерти папы! Я была молодой, глупой и влюбленной. Если бы только я могла вернуться назад и все изменить!

— Тебе следовало помнить, что Винсенте никогда не женятся на тех, кто не принадлежит к их кругу. Тебя когда-нибудь приглашали на фиесту в Каса дель Соль? Разумеется, нет. — Голос Рейчел вновь стал резким. — Винсенте — потомки испанских аристократов, а ты была всего лишь дочерью бедного фермера, недостойной даже чистить им сапоги.

— Но ведь ты, насколько я помню, нравилась Ноублу. Он всегда оказывал тебе внимание, — возразила Делия. — Он даже дал тебе прозвище... — Она закусила губу, пытаясь вспомнить, а потом вздохнула: — Забыла, как он тебя называл.

Рейчел закрыла глаза, стараясь выбросить из головы мысли о том времени, когда она обожала Ноубла. Он называл ее Зеленые Глаза. Ей не хотелось признавать, что она когда-то принадлежала к веренице женщин, ставших жертвами неотразимых чар Ноубла Винсенте. Рейчел было всего шестнадцать, когда она впервые подумала о нем как о мужчине. И она глубоко похоронила эти воспоминания, пытаясь помнить лишь то, что он обесчестил и бросил ее сестру, а потом убил их отца.

— Кажется, ты забыла, — услышала Рейчел голос Делии, — что Ноубл не был обвинен в убийстве папы.

— А ты ожидала другого? Людей, подобных Винсенте, не отправляют в тюрьму за убийство мелкого фермера. Но у папы было много друзей, и они бы линчевали Ноубла, если бы он не сбежал, как трус!

Делия посмотрела сестре в глаза:

— Ты не все знаешь, поэтому не делай глупостей. Лучше предоставь Ноубла мне.

— Тебе? Но какой в этом смысл? Когда дело касается Ноубла, ты слушаешь только то, что подсказывает тебе сердце. — Рейчел горько усмехнулась. — Как ни странно, Делия, но, возможно, ты единственный друг Ноубла.

Ее сестра пожала плечами:

— Он вовсе не такое чудовище, как ты думаешь.

— Конечно, Ноубл был добр к тебе — ведь он получил от тебя все, что хотел, не так ли? Слава богу, Уит любил тебя достаточно сильно, чтобы посмотреть сквозь пальцы на маленькую оплошность Ноубла.

— Любовь тут ни при чем. Просто мы с ним похожи. Мы оба честолюбивы и готовы на все, чтобы добиться желаемого. — Внезапно ее лицо омрачилось. — Очевидно, в этом мире все-таки существует справедливость. Недаром я не смогла забеременеть после того, как потеряла ребенка, хотя очень этого хотела.

— Ты еще можешь иметь детей, — мягко произнесла Рейчел. — Только запасись терпением...

— Ты не понимаешь. Уит говорит, что дети нам не нужны — что Техас будет нашим единственным ребенком.

Рейчел вдруг почувствовала отвращение. Она пошла к двери, но на пороге обернулась:

— Такие браки, как ваш, заключаются не на

небесах, а в аду. Не становись у меня на пути, Делия! Я намерена уничтожить Ноубла Винсенте и сделаю это.

— Ты совсем как папа, — вздохнула Делия. — Если ты не будешь осторожна, то с тобой произойдет то же, что и с ним.

— Я не боюсь Ноубла!

— В самом деле? — Делия иронически усмехнулась. — А возможно, тебе следовало бы его бояться. Смотри, как бы ты сама не пала жертвой его чар, — не без злорадства предупредила она.

Разговор утомил Рейчел. В рассуждениях Делии о Ноубле не было ни капли логики, потому что она все еще была в него влюблена.

— Заруби себе на носу — никто больше меня не жаждет гибели Ноубла Винсенте!

Внезапно взгляд Делии смягчился, и она шагнула к сестре.

— Ноубл — как техасский ветер: он парит у нас над головами, и его невозможно удержать в руке.

Рейчел стиснула дверную ручку. В комнате было душно и пахло розовой водой, которой всегда пользовалась Делия.

— Я заставлю его спуститься на землю, — пробормотала она себе под нос. — Он заплатит за то, что сделал с папой!

4.

Чмокнув Рейчел в щеку, Делия села в свой личный экипаж и устроилась поудобнее на кожаном сиденье.

— Подумай еще раз о предложении Уита продать «Сломанную шпору».

— И думать не о чем. Мой ответ всегда будет таким же. — Рейчел шагнула назад. — Счастливого пути. Напиши мне. — Она смотрела вслед карете, пока та не скрылась из виду, потом, облегченно вздохнув, вернулась в конюшню, оседлала Фаро и поехала в сторону реки Брасос.

После часа езды Рейчел натянула поводья и окинула взглядом освещенное ярким солнцем пастбище, поросшее колеблемой ветром травой. Она любила эту землю, напоминающую ей об отце, и никогда бы не согласилась ее продать — даже Делии и Уиту.

Рейчел не собиралась ехать в Каса дель Соль, но, казалось, какая-то неведомая сила тянула ее туда. Некоторое время она скакала галопом вдоль реки, служившей границей между «Сломанной шпорой» и Каса дель Соль. В прошлом Брасос щедро питала оба ранчо, но в этом году уровень воды был низким из-за отсутствия дождей. Местами река настолько обмелела, что можно было переехать ее, не замочив подпругу.

Не раздумывая, Рейчел направила Фаро в мутную воду и выехала на противоположный берег. Нет, не надо было ей приезжать сюда! Мысли о прошлом не давали Рейчел покоя, в ушах звучал дразнящий голос Ноубла, и она ничего не могла с этим поделать...

Хотя Ноубл был только наполовину испанец — его мать происходила из старинного и уважаемого семейства американцев-южан, — у него была такая же смуглая кожа, как у отца, и он носил такую же традиционную испанскую одежду. Ноубл всегда представлялся Рейчел в черном кожаном костюме, отделанном серебром, который был на нем в тот день, когда его образ навсегда запечатлелся в ее памяти.

Она приехала в Каса дель Соль с отцом, который хотел купить племенного быка у дона Рейнальдо Винсенте. Тогда ей исполнилось шестнадцать, и она была так же уязвима для чар Ноубла, как и любая другая женщина в округе Мадрагон.

Дон Рейнальдо встретил их во дворе. Пока он разговаривал с отцом, Рейчел выбралась из фургона, побежала к коралю и взобралась на ограду, чтобы посмотреть, как несколько вакерос объезжают лошадей. Отец добродушно улыбался, глядя на нее, — он никогда не бранил Рейчел и не возражал, что она носит сапоги и джинсы и ездит верхом по-мужски. Он гордился тем, что его младшая дочь, сидя в седле, не уступит любому мужчине.

* * *

Шестнадцатилетняя Рейчел наблюдала за вакеро, который пытался накинуть кожаный повод через голову норовистой вороной кобылы. Внезапно из конюшни вышел Ноубл, позвякивая серебряными шпорами. Поставив сапог на ограду, он подтянул ремешок шпоры, потом кивнул вакеро, крепко державшему кобылу за уши, и с кошачьей грацией вскочил на спину великолепного животного, чья шкура блестела, как полированное черное дерево.

На мгновение человек и лошадь застыли как вкопанные, но Рейчел знала, что будет дальше. Кобыла прижала уши, готовая сопротивляться человеку, вознамерившемуся подчинить ее себе, а потом вдруг начала прыгать, пытаясь сбросить всадника. Однако Ноубл был опытным наездником. Его ноги крепко стискивали вздымающиеся бока лошади; он казался воплощением силы, изящества и упорства.

Вакерос разразились поощрительными криками, а сердце Рейчел возбужденно заколотилось. Она задерживала дыхание, когда лошадь брыкалась, вертелась и прыгала, тщетно стараясь сбросить Ноубла. Его смуглые руки твердо держали поводья, он лишь изредка пользовался шпорами, чтобы не повредить великолепную шкуру животного.

Наконец кобыла остановилась и опустила голову, отдаваясь на милость победителя. Не обращая внимания на приветственные крики вакерос, Ноубл оставался невозмутимым, словно находился на пикнике, и это спокойствие произвело на Рейчел едва ли не наибольшее впечатление.

Завидев ее, Ноубл подъехал к ограде и отвесил поклон.

— Вы становитесь настоящей красавицей, сеньорита Зеленые Глаза. С такими глазами вы способны разбить сердце любого мужчины в округе Мадрагон, включая мое собственное!

При виде его улыбки сердце Рейчел на мгновение перестало биться, и она крепче вцепилась в ограду, чтобы не потерять равновесие.

— Ты был великолепен, Ноубл, — смущенно

сказала Рейчел, удивляясь тому, что робеет перед парнем, которого знала всю жизнь.

Он неожиданно протянул руку и коснулся ее щеки.

— Осторожнее, Зеленые Глаза! Ты не должна так смотреть на мужчину.

Рейчел смутилась еще больше:

— Не понимаю, о чем ты.

— Неужели? В твоих глазах сверкает такое пламя, словно ты готова укротить меня, как эту лошадь.

— Еще чего, Ноубл Винсенте! — Покраснев, Рейчел старалась скрыть свое замешательство легкомысленным тоном. — Я просто восхищалась твоим искусством верховой езды. Никогда не видела такую кобылу. Что это за порода?

Засмеявшись, Ноубл спешился и бросил поводья вакеро.

— Ладно, Зеленые Глаза, я больше не буду тебя дразнить. У меня пересохло в горле. Пойдем со мной к колодцу, и я расскажу тебе все об этой черной кобыле.

Рейчел неохотно последовала за ним, молясь о том, чтобы ее сердце перестало так колотиться. Неведомые прежде ощущения душили ее, и это ей совсем не нравилось.

— Ты обещал рассказать мне о лошади, — напомнила она, прижав ладонь к сердцу, словно опасаясь, что Ноубл услышит, как оно бьется.

Он усмехнулся и шутя взъерошил ей волосы.

— Ладно, если тебе так не терпится. Эту лошадь вырастили картезианские монахи в горном монастыре на юго-западе Испании.

— Никогда не видела, чтобы у лошади так блестела шкура. У нее такие сильные ноги, а рост, вероятно, не меньше полутора метров. И, по-моему, тебе так и не удалось сломить ее дух.

— А я и не хотел этого делать, — Ноубл многозначительно улыбнулся. — Дух не должен быть сломленным ни у лошади, ни у женщины.

Рейчел вскинула голову:

— Как ты можешь сравнивать женщину с лошадью?! Этой кобыле следовало бы тебя сбросить!

Ноубл бросил на нее взгляд, от которого ее сердце затрепетало с новой силой.

— Возможно. Тем не менее я подчинил ее моей воле. Теперь она будет покорной.

— Я не заметила в ней особой покорности.

Он улыбнулся, сверкнув крепкими белыми зубами.

— Нужно только внушить ей, кто ее хозяин. Разве с женщинами не следует обращаться так же?

Прежде чем Рейчел успела ответить, Ноубл поднял руки:

— Сдаюсь! Нельзя дразнить девушку с волосами цвета пламени и с таким же характером. Я прощен?

Рейчел так крепко сцепила пальцы, что костяшки побелели и ей пришлось спрятать руки за спину. Казалось, будто все вокруг приобрело какой-то новый смысл. Она не решалась поднять глаза и упорно смотрела на землю, где тень Ноубла возвышалась над ее тенью. А потом он сдвинулся с места, и его тень поглотила тень Рейчел.

— Ты опять сравниваешь меня с кобылой? — с вызовом спросила она, обретя наконец дар речи.

Ноубл взял ее руку и прижал к своему сердцу.

— С тобой, красавица моя, не может сравниться никто!

Рейчел вырвала руку, как будто обожглась. И почему он сегодня ведет себя так странно?

Подойдя к колодцу, Ноубл взял ковш, окунул его в ведро и протянул Рейчел. Она покачала головой, все еще ошеломленная его комплиментом. Он назвал ее красавицей! Рейчел никогда себя таковой не считала. Внезапно ей безумно захотелось быть красивой и на несколько лет старше, потому что Ноубл наверняка все еще считал ее ребенком.

Он поднес ковш к губам, и Рейчел, словно зачарованная, наблюдала, как капли воды стекают у него по подбородку, исчезая в темной поросли волос на груди, едва заметной под расстегнутой сверху рубашкой. Она вдруг почувствовала неудержимое желание провести пальцами по его груди следом за каплями, но вспомнила, что Ноубл обручен с какой-то испанкой, и ощутила острую боль, как будто острие невидимого ножа вонзилось ей в сердце.

Почему ее чувства к Ноублу так внезапно изменились? Рейчел всегда думала о нем как о знакомом парне, который поддразнивал и смешил ее. А теперь она стала не лучше тех жеманных девиц, которых презирала за то, что они толпами бегают за Ноублом. Почему сегодня его слова словно зачаровывают ее, а близость так волнует?.. Ища успокоения, Рейчел посмотрела на отца, но он все еще беседовал с доном Рейнальдо на открытой террасе.

— Неужели ты не хочешь пить, Зеленые Глаза? — спросил Ноубл. — Сегодня такой жаркий день.

— Я? Да, хочу...

Он снова окунул ковш в ведро и протянул ей. Его рука коснулась руки Рейчел, и ее сердце сразу подпрыгнуло. Дрожащими руками Рейчел поднесла ковш к губам, быстро выпила и бросила ковш в ведро, чтобы снова не прикасаться к Ноублу.

— Как ты поступишь с этой кобылой? — спросила она, только чтобы не молчать.

— Мне кажется, Фаро — лошадь для леди.

— Фаро?

— Да, так ее зовут. — Ноубл улыбнулся. — Но леди, которая будет на ней ездить, должна обладать столь же неукротимым духом. Возможно, я подарю ее тебе, Зеленые Глаза. Да, думаю, она должна быть твоей!

Он зашагал назад, и Рейчел пришлось почти бежать, чтобы поспеть за ним. Она вдруг почувствовала, что никогда ничего так не хотела, как эту кобылу.

— Но папа не позволит мне принять от тебя такой подарок!

Ноубл замедлил шаг, и его лицо внезапно стало серьезным.

— Лошадь моя, и я могу распоряжаться ею, как мне угодно.

Рейчел подошла к отцу — она сейчас очень нуждалась в его поддержке.

— Мистер Ратлидж, — заговорил Ноубл, не сводя глаз с Рейчел, — я только что подарил лошадь вашей дочери, но она говорит, что вы не позволите ей принять ее. Надеюсь, что это не так.

Сэм Ратлидж выглядел удивленным, а отец Ноубла рассмеялся:

— Ты имеешь в виду кобылу из Испании?

— Да, отец.

— Тогда вы должны принять этот подарок, сеньорита Рейчел, — весело сказал дон Рейнальдо. Он говорил с легким испанским акцентом, который у Ноубла и Сабер отсутствовал вовсе. — Мы привезли ее для моей дочери, но Сабер предпочитает маленьких и смирных лошадей. Кобыла должна принадлежать той, которая способна оценить хорошую лошадь.

— Я куплю ее у вас, — предложил Сэм. — Не в моих привычках быть у кого-то в долгу. Сколько стоит эта кобыла, Ноубл?

Рейчел опустила голову, чтобы ее отец не догадался, как ей хочется получить эту лошадь. Они оба знали, что он едва ли может себе позволить купить такое великолепное животное.

— Сразу видно, от кого ваша дочь унаследовала свое упрямство, — усмехнулся Ноубл. — Кобыла не продается. Она — мой подарок Зеленым Глазам. А между друзьями не может быть никаких долгов.

Несколько секунд они молча смотрели друг на друга, потом Сэм опустил взгляд.

— Я уверен, что моя дочь будет хорошо заботиться о кобыле. И все же это слишком щедрый подарок. Лошадь просто безукоризненна.

— Как и ваша дочь, — негромко отозвался Ноубл.

* * *

Рейчел щурилась от солнечного света; ее воспоминания постепенно тускнели. Тот день был последним, когда она чувствовала себя беспечной и невинной девочкой. После этого Рейчел не переставала думать о Ноубле, как только молодая девушка способна думать о предмете первой любви.

Тогда она любила Ноубла так же сильно, как ненавидела его теперь.

5.

Остановив кобылу, Рейчел смотрела на гасиенду Каса дель Соль. Она не была здесь с тех пор, как погиб ее отец, и не знала, почему приехала сюда сегодня. Интересно, помнит ли Фаро это место?..

Рейчел потрепала ее по гладкой черной шее. Хотя лошадь подарил ей Ноубл, она не смогла заставить себя расстаться с Фаро.

Внезапно неподалеку послышались шаги, из-за деревьев появился Ноубл и зашагал мимо кораля. Рейчел догадалась, что он идет на могилу отца. Она спешилась и двинулась следом, стараясь держаться на почтительном расстоянии.

Спрятавшись за развесистым кедром, Рейчел наблюдала, как Ноубл опустился на колени рядом с могилой дона Рейнальдо Винсенте. Она видела выражение боли на его лице и знала, что он чувствует, так как испытывала то же самое ощущение утраты после смерти своего отца. Казалось бы, при виде горя Ноубла она должна была почувствовать удовлетворение. Но не смогла, как бы ей этого ни хотелось. Даже трусливый убийца имеет право оплакивать смерть отца.

К удивлению Рейчел, ее глаза вдруг обожгли слезы, и она быстро заморгала, стараясь не заплакать. Ноубл Винсенте не стоит ни единой ее слезы! Он заслужил гораздо больше тех бед, которые обрушились на него.

* * *

Ноубл снял шляпу и склонил голову. Горе пронзило его сердце, словно отточенный клинок. Он должен был находиться рядом с отцом, чтобы утешить его в последние часы. Мысль о том, что его отсутствие, возможно, ускорило смерть отца, усиливало чувство вины.

Взгляд Ноубла устремился на заросшую сорняками могилу матери; рядом с ней находились могилы его маленького брата, появившегося на свет мертвым, и других Винсенте, родившихся и умерших на этой земле. Чувство одиночества давило на него тяжким грузом. Слова молитвы застревали в горле.

Услышав треск ветки, Ноубл вскочил, повернулся туда, откуда раздался звук, и выхватил револьвер.

— Выходите медленно! — скомандовал он.

Рейчел шагнула вперед, высоко подняв голову и глядя ему в глаза.

— Кто вы? — Ноубл удивился, увидев женщину, и опустил револьвер. — Я вас знаю?

Рейчел огорчило, что Ноубл не узнал ее, — ведь сама она думала о нем каждый день после его отъезда.

— Когда-то я считала, что знаю тебя, Ноубл Винсенте, — ответила она. — Хотя это было совсем не так.

Ноубл едва мог поверить своим глазам. Конечно, Рейчел изменилась — стала выше ростом, а рыжие волосы приобрели золотистый оттенок, — и все-таки он должен был сразу узнать ее.

— Значит, это ты, Зеленые Глаза! Выросла, но по-прежнему носишь брюки?

Рейчел дрожала всем телом, но смело шагнула на заросшую тропинку.

— Я уже не та девочка, которую ты знал, — ответила она. — Ты украл мое детство, Ноубл Винсенте. Почему ты вернулся в Техас, где тебе не рады?

Взгляд Ноубла скользнул по ее огненным волосам, округлой груди, тонкой талии, изгибам бедер, соблазнительно обрисовываемых джинсами. Перед ним стояла не та юная девушка, которой когда-то он восхищался и которую поддразнивал, а взрослая женщина. И в глазах ее сверкала неприкрытая ненависть.

— Когда-то ты считала меня своим другом.

— Я была глупа. — Рейчел помнила, как в этих темных глазах плясали искорки смеха, но сейчас они были тусклыми и непроницаемыми. От Ноубла исходило ощущение силы, и казалось, что он с усилием сдерживает эту силу. — Теперь вы хозяин Каса дель Соль, дон Ноубл.

— Не называй меня доном — этот титул умер вместе с моим отцом. Того Техаса, который он любил, больше нет, а я не тот человек, каким был он.

— Не могу с тобой не согласиться. Раньше я думала, что ты обладаешь тем же чувством чести, что и твой отец, но теперь знаю, что ошибалась.

— И хочешь видеть меня мёртвым. — Это заявление прозвучало без всяких эмоций.

— Да, хочу, — призналась Рейчел. — Между прочим, я могла убить тебя в день твоего возвращения. Когда ты пил воду из Дип-Крика, я целилась в тебя из ружья.

Ноубл вздрогнул, как будто эти слова ранили его.

— Тем не менее ты меня не застрелила. — Он поднял руки, показывая, что на нём нет дырок от пуль. — Я всё ещё жив. Интересно, почему?

Собравшись с духом, Рейчел подошла к нему.

— Если бы ты был мёртв, то не смог бы испытывать страдания. А я хочу, чтобы ты страдал.

Ноубл уставился на кончики своих начищенных до блеска сапог.

— Возможно, я уже достаточно страдал, Зелёные Глаза.

— Не смей называть меня так!

В его глубоких карих глазах мелькнула печаль.

— Неужели ты веришь, что я убил твоего отца? Я всегда любил и уважал мистера Ратлиджа.

— Можешь отрицать это, сколько тебе угодно. Я знаю, что ты убил его, и знаю, почему.

Ноубл устремил взгляд на могилу своего отца.

Казалось, он больше не в силах, смотреть в холодные зеленые глаза Рейчел.

— И ты приехала сюда, чтобы ощутить удовлетворение при виде моего горя?

Наклонившись, Рейчел сорвала сорняк, выросший возле надгробия дона Рейнальдо.

— Я не рада смерти твоего отца. Он был добрым и честным человеком. — Она выпрямилась. — Эти могилы запущены до безобразия. Я бы никогда не допустила, чтобы такое произошло с могилами моих близких.

Ноубл глубоко вздохнул:

— Я не убивал твоего отца, Рейчел. Меня не заботит, если все остальные не поверят мне, но я хочу, чтобы ты знала правду.

Рейчел пожала плечами:

— Едва ли я могла рассчитывать, что ты признаешься в своем преступлении. Только у тебя была причина убить его. Все любили моего отца. У него не было врагов; кроме тебя.

— Почему именно ты? — Казалось, Ноубл обращается к самому себе. Но потом он снова посмотрел ей в глаза. — Почему ты решила стать орудием моего наказания?

— Раз ты носишь фамилию Винсенте и недосягаем для закона, мне приходится самой вершить правосудие. — Рейчел снова шагнула к нему. — Я могла застрелить тебя, Ноубл, но не сделала этого и никогда не сделаю. — Она вскинула голову, встретив его взгляд. — Скажи сам, как мне наказать тебя.

Ноубл молча смотрел на нее. Быть может, он тщетно искал в ней ту девочку, которая его когда-

...

47

то обожала? Рейчел видела, как в его глазах вспыхнул гнев, но осознала опасность, только когда Ноубл внезапно схватил ее и привлек к себе.

— Ты ничего не можешь сделать мне, Рейчел, что было бы хуже того ада, в котором я нахожусь.

Она ощущала жар его тела.

— Вот как? Я знаю, что ты сейчас чувствуешь, Ноубл, потому что чувствовала то же самое, когда погиб мой отец. Ты стоишь у могилы дона Рейнальдо и не можешь поверить, что он действительно мертв. Тебе кажется, что все это какая-то ужасная ошибка. Потом ты отойдешь от надгробия, ощущая, что оставил здесь часть своей жизни, и поспешишь домой, но не найдешь там отца. Ты больше никогда его не увидишь. Это и будет твоим наказанием.

Ноубл приподнял свободной рукой подбородок Рейчел, глядя ей в глаза.

— А что, если ты ошибаешься? — спросил он хриплым голосом. — Что, если тебе суждено быть моим последним наказанием?

Губы Ноубла прижались к ее рту. Однако поцелуй этот был вызван не любовью и страстью, а только гневом и разочарованием.

Рейчел хотела оттолкнуть его, но ей не хватало сил. Сама того не желая, она ответила на его поцелуй. Ее тело безвольно обмякло в объятиях Ноубла. Но внезапно ее мысленному взору представилось мертвое лицо отца, и она снова попыталась освободиться.

Ноубл сразу же отпустил ее. На его губах

мелькнула усмешка — он знал, как подействовал на нее этот поцелуй.

— Возможно, ты этого не осознаешь, Зеленые Глаза, но ты бросила мне вызов, и я его принимаю.

Рейчел молча уставилась на него, потом провела рукой по губам, словно желая стереть вкус его поцелуя, хотя понимала, что это ей не удастся. Она надеялась найти слабое место Ноубла, но все произошло совсем наоборот.

— Я докажу, что ты убил моего отца! — Рейчел чувствовала, что дрожит с головы до ног, и ненавидела себя за это. Она должна забыть ощущение губ Ноубла на своих губах и помнить лишь то, что он ее смертельный враг. — Скоро весь Техас узнает о твоем преступлении. Тогда шерифу Гриншо придется арестовать тебя.

Ноубл, казалось, не слушал ее. Наклонившись, он сорвал несколько сорняков с могилы отца, потом выпрямился и посмотрел на Рейчел.

— Делай что хочешь. Я всегда думал, что ты лучше Делии, но, возможно, был не прав.

Рейчел охватила ярость:

— Как ты смеешь оскорбительно отзываться о Делии?! Ты даже не спросил о ней и о ее ребенке! Как можешь ты быть таким бессердечным?!

Ноубл закрыл глаза:

— Как поживают Делия и ее ребенок?

Рейчел почувствовала ком в горле и испугалась, что сейчас заплачет.

— Делия потеряла твоего ребенка.

— Очень жаль.

— Жаль ребенка? А ты не думаешь о том, как

страдала Делия? Неужели тебе больше нечего сказать?

— Что бы я сейчас ни сказал, это не произведет на тебя впечатления. Ты осудила меня, даже не спрашивая, был ли я отцом ребенка твоей сестры.

В его глазах застыла бесконечная усталость и глубокая печаль. Рейчел внезапно ощутила жалость к нему. Но Ноубл отвел взгляд, и его лицо вновь превратилось в непроницаемую маску. Без единого слова он зашагал прочь, оставив Рейчел наедине с ее сумбурными мыслями. Что-то во взгляде его карих глаз поколебало ее уверенность. Приходилось признать, что он выиграл первое сражение, но она не была побеждена и не сомневалась, что они встретятся снова.

Обнаружив Фаро на прежнем месте, Рейчел вскочила на нее и поскакала галопом к Брасос. Словно неопытная девчонка, она позволила себе спасовать перед источаемой Ноублом мужественностью. Но в следующий раз она не будет такой уязвимой!

По пути домой Рейчел не переставая думала об ослепительно красивом молодом испанце, подчинившем своей воле норовистую кобылу, и о печальном незнакомце, которого она встретила сегодня. Который же из них истинный Ноубл?

«Тот, кто убил твоего отца!» — сказала она себе.

Склонившись к шее лошади, Рейчел стремительно мчалась прочь от гасиенды Каса дель Соль и ее хозяина.

6.

Таскоса-Спрингс, Техас.

Подобно многим городкам Юга, Таскоса-Спрингс переживал трудные времена. И все его обитатели понимали, что они вскоре станут еще труднее, так как победивший Север заправлял всем в Техасе.

Впрочем, Таскоса-Спрингс лишь условно можно было назвать городом. Все его дома располагались вдоль одной улицы и были изрядно потрепаны непогодой. Исключение составляло новое кирпичное здание налоговой инспекции, стоящее рядом с банком. Чуть дальше по частично сгнившему дощатому настилу располагались отель Бейкера, салун «Кристал Палас» и примыкающая к нему лавка сельскохозяйственного оборудования Мак-Ви, где торговали в основном стоящими у стены лопатами и граблями. С другой стороны пыльной улицы помещался офис шерифа, а также двухэтажное здание с аптекой на первом этаже и приемной врача на втором. Из кузницы Таттла доносились удары молота, сопровождаемые едким запахом дыма.

Солнце палило нещадно, и горячий ветер царапал кожу, словно крупицы раскаленного песка. Тем не менее группа людей собралась у лавки Мак-Ви, наблюдая, как Ноубл Винсенте слезает с лошади и привязывает ее к довольно шаткому столбу. Мужчины, знавшие Ноубла всю жизнь, смотрели на него с презрением, покуда их жены возбужденно перешептывались, толкая друг друга локтями.

Проходя мимо собравшихся, Ноубл молча кивнул и вошел в лавку. Внутри у него бурлил гнев, но он держал свои чувства под контролем. Ясно, что соседи все еще считают его убийцей Сэма Ратлиджа. Он не мог их разубедить и не пытался этого сделать.

Джесс Мак-Ви с мрачным видом последовал за Ноублом в свой магазин. Глядя на лавочника, Ноубл подумал, что тот нисколько не изменился за время его отсутствия. Джесс был маленьким человечком с волосами цвета болотной воды. Его мышиные глазки нервно окинули взглядом помещение и устремились на Ноубла.

— Мне нужно оборудование, Джесс. — Ноубл протянул ему список. — Можете доставить все это в Каса дель Соль?

— Если бы я не нуждался в деньгах, то сказал бы вам, чтó вы можете сделать со своим заказом! — огрызнулся Джесс.

Ноубл не повысил голоса, но каждое его слово звучало, как удар плетью:

— Теперь я знаю, Джесс, как низко может пасть человек ради денег. — Повернувшись, он отсчитал несколько банкнот и бросил их на обшарпанный прилавок. — Что останется, запишите на мой счет. Обеспечьте, чтобы покупки доставили на ранчо сегодня же.

Джесс сдержал негодование, так как представители семейства Винсенте всегда умели внушать уважение к себе.

— Будет сделано, — неохотно кивнул он, глядя

вслед Ноублу, который вышел решительной походкой, высоко подняв голову.

Женщины, прижимавшие лица к витрине, чтобы увидеть Ноубла, сразу хлынули в лавку и засыпали Джесса вопросами:

— Где он был все эти годы?

— Ноубл вернулся насовсем?

— Он женился на той испанке?

— Он привез с собой жену?

— Ноубл вызвал сестру из Джорджии?

— Как по-твоему, Рейчел Ратлидж знает, что он вернулся?

Джесс Мак-Ви отмахивался от женщин, глядя, как Ноубл идет к офису шерифа. Он поежился, вспомнив холодную ярость в карих глазах молодого Винсенте.

— Не хотел бы я вывести его из себя, — буркнул Джесс. — Можете говорить, что хотите, но, когда он в следующий раз придет в мой магазин, я буду вести себя повежливее.

* * *

Харви Брискал дремал, положив голову на стол, когда услышал, как открылась дверь. Он потянулся, зевнул и с недовольным видом взглянул на вошедшего:

— Шерифа нет. Если у вас к нему дело, зайдите позже.

Ноубл посмотрел на худощавое лицо Брискала с опухшими веками, на всклокоченные каштановые волосы, потом перевел взгляд на звезду помощника шерифа, приколотую к грязному кожаному жилету. Этот человек был ему незнаком.

Придвинув шаткий деревянный стул, Ноубл поставил на него сапог.

— Если шерифа нет, я поговорю с вами.

Харви тряхнул головой, прогоняя дремоту.

— Вы определенно нездешний, — заметил он. — Я знаю тут всех фермеров и ковбоев.

Его хмурый взгляд с завистью скользнул по белой крахмальной рубашке Ноубла, темно-желтым кожаным брюкам с коричневыми полосами вдоль штанин и висевшему на поясе револьверу с рукояткой из слоновой кости. Было очевидно, что незнакомец — важная персона.

— Как ваше имя? — осведомился Харви.

Ноубл испытующе посмотрел на него. После инцидента с Джессом Мак-Ви он был не расположен терпеть местных дураков.

— Сначала скажите, кто вы такой.

Харви выпятил костлявую грудь и с гордостью заявил:

— Я помощник шерифа.

Ноубл скривил губы:

— Об этом я уже догадался. Как вас зовут?

Харви поднялся — он был на целую голову ниже Ноубла — и подтянул штаны, которые были ему широки.

— Здесь вопросы задаю я! Изложите ваше дело.

Ноубл медленно повернул стул, сел и закинул ногу на ногу.

— Я — Ноубл Винсенте.

Помощник шерифа удивленно уставился на него, сразу вспомнив это имя.

— Вы один из Винсенте, которым принадлежит Каса дель Соль? Я слышал о вас, но не знал, что вы вернулись. — Его глаза блеснули. — Я пробыл здесь всего семь месяцев, но до меня дошли слухи, что вас подозревали в убийстве.

Ноубл поднялся:

— Предупреждаю, что у меня было скверное утро и я не намерен тратить время на imbecil[1].

Харви выглядел озадаченным.

— Я не говорю по-испански. Что значит им... то, что вы сказали?

Ноубл испытывал некоторые сомнения в том, что помощник шерифа говорит по-английски.

— Этот означает, что вы... не блещете умом.

Лицо Харви побагровело от возмущения.

— Вы не имеете права так со мной разговаривать! Что вы о себе думаете?!

Ноубл шагнул вперед, и помощник шерифа невольно отпрянул.

— Гриншо все еще шериф?

Харви увидел неприкрытую угрозу в темных глазах Ноубла Винсенте, и ему стало не по себе.

— Д-да, — ответил он, судорожно глотнув. — Но Гриншо стареет. Думаю, скоро я буду шерифом.

— Помоги нам бог, если это произойдет! — пробормотал Ноубл себе под нос. — Передайте шерифу Гриншо, что я заходил и хотел бы повидать его, когда ему будет удобно.

Харви последовал на улицу за Ноублом, Джесс Мак-Ви подошел к нему, и оба молча смотрели, как Ноубл сел на лошадь и исчез вдали.

---

[1] Идиот (исп.).

— В этом городе ему не найти друзей, — заговорил Джесс. — Сэма Ратлиджа здесь все уважали, и многие из нас думают, что его застрелил Ноубл Винсенте.

— Я не знал мистера Ратлиджа, но мне нравится его хорошенькая дочурка. Правда, я еще не говорил ей об этом... Несправедливо, что какой-то богатый ублюдок прикончил ее отца и вышел сухим из воды!

Джесс удивленно посмотрел на помощника шерифа. Неужели он думает, что Рейчел способна им заинтересоваться?

— Возможно, Рейчел посмотрит благосклонно на того, кто упрячет в тюрьму убийцу ее отца, — сказал Джесс, усмехаясь про себя. — Конечно, шериф Гриншо никогда не верил, что Ноубл убил Сэма. Он заявил, что нет достаточных доказательств, чтобы передать дело в суд, и окружной судья с ним согласился. Думаю, будь вы шерифом, все вышло бы по-другому. — Он сознательно искушал Харви, надеясь, что посеянные им подозрения дадут всходы в незамысловатом уме помощника шерифа. — Меня всегда интересовало, сколько дон Рейнальдо заплатил судье, чтобы избавить сына от тюрьмы.

Харви встрепенулся, подумав о том, как изменится его положение в округе, если он поможет избавиться от этого испанского ублюдка.

— Есть и другие способы осуществить правосудие, — отозвался он, хитро блеснув глазами. — Иногда приходится слегка преступить закон.

* * *

Жара стала еще сильнее. Ноубл стискивал зубы, вспоминая о том, как его встретили в городе, хотя ему следовало быть готовым к враждебному отношению. Черт бы их всех побрал! Разве имеет значение, что они о нем думают?

Но, как ни странно, для него это имело значение.

Проехав мимо главных ворот Каса дель Соль, Ноубл направил лошадь к реке, спешился и подошел к краю воды, глядя в ее мутные глубины. Он всегда любил Брасос, чье извилистое русло тянулось через Техас на сотни миль. Под этими деревьями он много раз рыбачил с отцом, здесь он учился плавать и нырять с обрывистого берега. Но сегодня детские воспоминания не приносили утешения — они были частью прошлого, которое умерло навсегда.

— Паршивый был день, — произнес Ноубл вслух. Подобрав камень, он бросил его в воду. — И в довершение всего я начинаю разговаривать сам с собой.

Повинуясь внезапному импульсу, Ноубл отстегнул пояс с кобурой и перекинул его через седло, потом снял сапоги и сбросил одежду. Оставшись в чем мать родила, он сделал глубокий вдох и нырнул.

Прохладная вода сомкнулась над ним. Добравшись до дна, Ноубл задержал дыхание и отдался на волю течения. Наверху был реальный мир, полный солнечного света и нестерпимой боли, а здесь — полумрак, тишина и забвение.

Внезапно, без всякого приглашения, в его мысли вторглась пара зеленых глаз, в которых некогда плясали искорки смеха, но теперь отражалась только холодная ненависть. Ноубл рванулся наверх, к свету, и втянул воздух в изголодавшиеся легкие. Когда дыхание нормализовалось, он огляделся вокруг и обнаружил, что его отнесло на солидное расстояние от того места, где он оставил одежду. Делая сильные взмахи, Ноубл поплыл против течения, обогнул излучину реки — и замер. Словно соткавшись из воздуха в ответ на его мысли, на берегу сидела Рейчел. Ее волосы пламенели на солнце, изгибы стройной фигуры вырисовывались под зеленой рубашкой. В руке она держала револьвер Ноубла, небрежно вращая барабан.

Ноубл снова заработал руками и ногами, стараясь удержаться на месте, так как течение было сильным.

— Привет, Зеленые Глаза! Извини, что не одет должным образом. Дело в том, что я не ожидал визитеров.

— Вижу.

Рейчел бросила взгляд на одежду Ноубла. Она надеялась смутить его своим присутствием, однако, судя по всему, это ей не удалось. И хотя его нагота волновала ее, она предпочитала этого не показывать.

— Симпатичное оружие, — заметила Рейчел. — Рукоятка из слоновой кости с позолотой... «Уэвли-Фосбери» — английское производство... Присвистнув, Рейчел снова повернула барабан. —

Явно не серийного выпуска. Орудие смерти, изготовленное по специальному заказу!

— Он принадлежал моему деду.

Рейчел встретила его взгляд.

— Никогда не понимала, зачем мужчине оружие с такими украшениями. Лично я предпочитаю ружье. Ты знаешь, что я могу попасть в подброшенный в воздух серебряный доллар, прежде чем он упадет на землю?

Ноубл чувствовал усталость — руки и ноги болели от постоянной борьбы с течением.

— Если ты отвернешься, чтобы я мог выйти и одеться, мы поговорим о моем револьвере и твоей меткости.

Рейчел покачала головой.

— Мне и так хорошо. — Она взвесила револьвер в руке. — Идеально уравновешен. Истинное оружие джентльмена!

Рейчел взвела курок, направила револьвер на Ноубла и нажала на спуск.

Ноубл и глазом не моргнул. Он смотрел на нее, не проявляя никаких признаков страха. Процедура повторилась шесть раз, после чего Рейчел продемонстрировала левую ладонь, на которой лежали заранее вынутые пули.

— Ты слишком доверчив. Откуда ты мог знать, что я разрядила револьвер и не собираюсь тебя застрелить?

— Я решил, что ты не станешь убивать меня в голом виде. — Ноубл усмехнулся. — Как бы ты объяснила это странное происшествие избирателям, которые решили голосовать за твоего зятя на губернаторских выборах?

Рейчел медленно и тщательно зарядила револьвер и снова взвела курок.

— Теперь он заряжен. И мне наплевать, если мой зять не станет губернатором Техаса.

Ноубл молча смотрел на нее, размышляя, сколько еще ему терпеть боль в конечностях.

— Ну, и почему ты не стреляешь?

Рейчел выстрелила шесть раз подряд, попав в ветку над головой Ноубла. Однако он даже бровью не повел.

— Мне нравятся мужчины, которых нелегко напугать, — промолвила Рейчел.

Она испытывала невольное уважение к его стальным нервам. Мог ли такой человек стрелять другому в спину? Очевидно, раз он это сделал.

— Теперь мне ясна твоя игра, — усмехнулся Ноубл. — Ты намерена торчать здесь, пока я не устану бороться с течением и не пойду ко дну.

— Заманчивая идея! — Рейчел спрятала револьвер в кожаную кобуру. — И как долго ты сможешь выдержать?

— Откровенно говоря, я уже устал и сейчас выйду на берег.

— А я останусь здесь.

— На здоровье.

Она наблюдала, как он плывет к берегу, изо всех сил стараясь сохранять спокойствие. Но все-таки не выдержала, поднялась и сделала несколько шагов назад.

— Ты не посмеешь выйти!

Ноубл встал на ноги — вода доходила ему до пояса.

— Думаешь?

На мгновение Рейчел была загипнотизирована зрелищем его влажного обнаженного торса. Чувствуя внутреннюю дрожь, она с трудом заставила себя не отворачиваться. На сей раз нужно было во что бы то ни стало проявить выдержку.

— Выходи, если осмелишься! — сказала Рейчел с напускной бравадой.

— У меня есть лучшая идея. Почему бы тебе не войти в воду?

Рейчел чуть было не крикнула: «Никогда!» — но быстро передумала. Чтобы одержать верх над Ноублом, ей нужно контролировать свои эмоции — по крайней мере, заставить его думать, будто она их контролирует.

— Почему бы и нет?

Рейчел очень хотелось убежать, но она дрожащими руками высвободила рубашку из брюк и быстро стянула ее через голову, надеясь, что ей хватит духу принять его вызов.

Ноубл шагнул назад.

— Не дури, Рейчел! Игра окончена. Отправляйся домой.

Рейчел стояла перед ним, обнаженная до пояса, стараясь не смотреть ему в глаза. Взгляд Ноубла скользнул по ее груди. Он сжал кулаки, почти физически ощущая ее кремовую кожу под своими пальцами. Ему безумно хотелось прикоснуться к Рейчел, и он ненавидел себя за это. Только сейчас он до конца осознал, что Рейчел стала взрослой, и не мог не восторгаться ее зрелой красотой. Ноубл хотел приказать ей надеть рубашку и убираться отсюда, но куда более сильным было желание стиснуть Рейчел в объятиях и прижимать к своему телу, покуда его не перестанет сотрясать дрожь.

7.

Под взглядом Ноубла Рейчел обдало жаром. Но он почти сразу отвернулся, и она прочитала его мысли. Ноубл не мог примириться с тем, что она женщина, а не та девочка, которую он когда-то знал.

— Игра окончена, Рейчел, — сердито повторил Ноубл. — Сегодня ты выиграла.

Рейчел смотрела на его профиль, словно высеченный из камня. Мышцы шеи напряглись, свидетельствуя о том, скольких сил ему стоит сдерживать эмоции. Это придало ей смелости, и она улыбнулась.

— Ты ведь пригласил меня поплавать с тобой, — напомнила Рейчел, удивляясь собственной дерзости. — Или ты передумал, Ноубл?

Он по-прежнему не смотрел на нее.

— Будем считать, что река маловата для нас двоих. Отправляйся домой.

Рейчел вскинула голову. Собрав всю свою смелость, она растегнула брюки и стянула их с бедер.

— День жаркий, и я с удовольствием поплаваю.

Взгляд Ноубла скользнул по ее груди к узкой талии и пучку рыжих волос между длинными ногами. Рейчел была прекраснейшим созданием, какое он когда-либо видел, но он не имел права дать волю своим чувствам.

Рейчел казалось, что взгляд Ноубла обжигает ее, словно прикосновение горячих пальцев. Ей хотелось схватить рубашку и прикрыть наготу, но она заставила себя улыбнуться.

— Освободи место! Я иду!

Ноубл хотел отвернуться, но не смог. Он пытался провести грань между прежней девочкой и стоящей перед ним дерзкой красавицей. Румянец на щеках Рейчел подсказывал ему, что она чиста и невинна, хотя вроде бы и не стыдиться собственной наготы. Ноубл закрыл глаза, но это не помогло — обнаженная Рейчел стояла перед его мысленным взором.

— Ты не должна так поступать, Рейчел. Это ничего не докажет и только усложнит наши отношения...

Он не договорил — Рейчел бросилась в воду в нескольких дюймах от него. Ноубл испытал облегчение, так как теперь над поверхностью воды были видны только ее плечи.

— Ладно, Рейчел, ты доказала мне, что стала взрослой женщиной. Я признаю, что твое тело великолепно. А сейчас я отплыву в сторону, чтобы ты могла выйти и одеться.

Его внезапная отчужденность озадачила Рейчел. Ведь совсем недавно она не сомневалась, что он находит ее желанной, и ее женские инстинкты торжествовали. Если бы только она была более опытной!

— Не слишком ли поздно для стыдливости? Ты уже видел меня такой, какой меня создал бог. Хочу тебе напомнить, что эта излучина Брасос принадлежит «Сломанной шпоре» в той же степени, что и Каса дель Соль. Я имею право находиться здесь так же, как и ты.

Ноубл отплыл на безопасное расстояние.

— Делай что хочешь, Рейчел. Мне все равно.

Рейчел подплыла к нему, намеренно коснувшись его своим телом, и увидела, как расширились его темные глаза.

— Не надо, Рейчел! — предупредил Ноубл, отплывая назад в отчаянной попытке спастись.

Он был озадачен действиями Рейчел — во время их прошлой встречи она хотела видеть его мертвым. Что же изменилось? Ноубл изо всех сил сопротивлялся желанию сжать ее в объятиях. Он сомневался, что Рейчел полностью осознает возможные последствия своего поведения. Отношения между ними и так достаточно запутались, и незачем их усложнять.

Рейчел понимала, что Ноубл боится своего влечения к ней. Это придавало ей смелости — она твердо решила возбудить его до предела, а потом внезапно уплыть.

— Признайся, ты хочешь меня, Ноубл?

Он упорно смотрел в сторону.

— Однажды я хотел шлюху в Новом Орлеане, но заставил себя от нее отделаться.

Рейчел улыбнулась, понимая, что Ноубл намеренно оскорбляет ее в надежде, что она оставит его в покое.

— Ты боишься меня? А я ведь сейчас не целюсь в тебя из ружья.

— Ты сейчас куда опаснее, чем когда держала меня на мушке. — Он посмотрел ей в глаза. — Ты еще ни разу не была с мужчиной, верно?

Рейчел наслаждалась его смущением.

— Не была. Хочешь быть первым?

— Да, черт возьми! — простонал Ноубл. — И в этом вся беда. Такая девушка, как ты, должна беречь себя для будущего мужа.

Рейчел рассмеялась, и Ноубл больше не мог противостоять ей. Обняв девушку, он привлек ее к себе.

Как глупа она была, думая, что сможет возбудить его желание и уплыть целой и невредимой! В ней вдруг пробудился целый вулкан чувств, с которыми она не могла справиться. Волосы на груди Ноубла щекотали ее груди, она ощущала каждый его вздох.

Железное самообладание Ноубла тоже дало трещину.

— Уходи, пока не поздно, Рейчел! — взмолился он. — Ты не понимаешь, что делаешь со мной! — При этом он прижимал ее к себе все сильнее.

— Отлично понимаю, — отозвалась Рейчел, глядя ему в глаза.

Ноубл чувствовал, что уже не может сдерживать охватившую его страсть. Словно умирающий от жажды в пустыне, он нашел своим ртом губы девушки.

Рейчел со стоном прижалась к нему, запустив пальцы в его влажные черные волосы и мечтая, чтобы он никогда не перестал целовать ее. Она не заметила, что Ноубл уже подошел к отмели. Его ноги упирались в твердый известняк, но Рейчел прижималась к нему, не касаясь ногами дна.

Голос Ноубла был хриплым от страсти.

— С той минуты, как ты снова вошла в мою

жизнь, я знал, что от тебя будет одно беспокойство... Знал и хотел этого!

Его руки скользнули по ее груди. Приподняв Рейчел, он коснулся губами ее соска, который сразу стал твердым.

Рейчел забыла, что находится в объятиях врага. Она не испытывала стыда, прижимаясь к его сильному телу. Каждое прикосновение Ноубла пробуждало в ней все новые, неведомые до сих пор ощущения. Где-то в потаенном уголке сознания тихий голос предупреждал ее: «Ты попалась в ловушку, дурочка! Он разобьет твое сердце!» — «Нет! — мысленно отвечала Рейчел. — Это он в ловушке! Я заставлю его любить меня, а потом сама разобью ему сердце!»

Вода приятно холодила кожу, отгоняя всякие мысли о сопротивлении. Рейчел со стоном откинулась назад, чувствуя, как его рука скользит между ее бедрами...

Никто из них не слышал выстрела, но пуля попала в грудь Рейчел, вырвав ее из объятий Ноубла. Она почувствовала острую боль, которую сменила страшная слабость. Попытавшись ухватиться за Ноубла, Рейчел скользнула вниз, и вода сомкнулась над ее головой. Выплыть на поверхность не хватало сил — она не сомневалась, что пойдет ко дну.

Ноубл подумал, что Рейчел затеяла какую-то новую игру, но она слишком долго не появлялась на поверхности. Тогда он нырнул следом, схватил ее за плечи и потянул наверх. Он понял, что произошло, только когда увидел кровь, сочащуюся из нее из груди. Во время войны Ноубл достаточно насмотрелся на пулевые ранения, чтобы сообразить, что в Рейчел стреляли. Но кто и почему?..

Рейчел отчаянно боролась с окутывающим ее мраком. Она пыталась сосредоточиться, но была слишком слаба.

— Зачем ты это сделал, Ноубл? — пробормотала она, склонив голову ему на плечо, и потеряла сознание.

Подняв ее, Ноубл двинулся к берегу, напрягая зрение и слух. Стрелявший в Рейчел, возможно, прячется поблизости. Даже услышав удаляющийся стук лошадиных копыт, он не был убежден, что опасность миновала.

Выйдя на берег, Ноубл осторожно положил Рейчел на траву, прикрыв ее наготу своей рубашкой. Девушка выглядела такой бледной, что он опасался за ее жизнь. Чтобы спасти ее, нужно было действовать быстро — она теряла слишком много крови. Но что за негодяй мог стрелять в нее?!

В Ноубле пробудились первобытные инстинкты. На войне он не раз убивал и сам видел смерть, но зрелище крови Рейчел, стекающей на траву, приводило его в ярость. Он жаждал отомстить тому, кто сделал это.

Ноубл окинул взглядом деревья у реки, но никого не заметил. Ладно, это подождет... Сейчас главное — помочь Рейчел. Быстро осмотрев ее, он нахмурился — рана была скверной. Еще никогда Ноубл не чувствовал себя таким беспомощным. Он не был врачом, но знал, что Рейчел может умереть, если срочно не принять меры. Быстро надев брюки, он опустился на колени рядом с

Рейчел. Она лежала неподвижно, но Ноубл немного успокоился, увидев, что ее грудь чуть заметно поднимается и опускается.

Пуля застряла совсем недалеко от сердца. Оторвав длинную полосу ткани от своей рубашки, Ноубл туго обмотал ею грудь девушки, стараясь действовать осторожнее, чтобы не усилить кровотечения.

Потом он набросил на Рейчел рубашку, поднял ее и положил поперек седла. Продев ногу в стремя, он вскочил на лошадь и пустил ее вперед шагом. Сначала Ноубл хотел поскакать галопом, чтобы быстрее помочь Рейчел, но здравый смысл побуждал его избегать резких движений. Он медленно ехал в сторону дома, молясь, чтобы Рейчел не умерла.

Солнце склонилось к горизонту, одевая все вокруг зловещим багряным саваном, когда Ноубл наконец добрался до своей гасиенды. Посмотрев на Рейчел, он увидел свежую кровь, просачивающуюся сквозь повязку. Она все еще была без сознания — ресницы неподвижно покоились на бледных щеках.

Ноубл спешился, осторожно снял Рейчел с седла и направился к дому. Навстречу ему выбежал Алехандро, на его смуглом лице была написана тревога, а в глазах светился немой вопрос. Распахнув дверь перед Ноублом, он последовал за ним внутрь.

— Что случилось, хозяин?

— Кто-то подстрелил мисс Ратлидж. Скачи в город, не жалея лошади, Алехандро, и привези доктора Стэнхоупа!

Алехандро был слишком хорошо вышколен, чтобы спрашивать, почему хозяин и мисс Рейчел промокли насквозь и почему на них так мало одежды. Старший вакеро привык повиноваться без лишних вопросов.

— Хорошо, я привезу доктора.

Ярость душила Ноубла. Как такое могло произойти с Рейчел, когда он держал ее в объятиях?! Но тот, кто стрелял в нее, допустил серьезную ошибку. Сколько бы времени на это ни понадобилось, он найдет ублюдка, и тот заплатит жизнью за свое преступление!

8.

Ноубл быстро отнес Рейчел в свою спальню, так как это была единственная меблированная комната в доме. Жена Алехандро, Маргрета, помогла ему положить девушку на кровать и зажгла лампы, чтобы в комнате было светлее.

Час за часом Ноубл сидел рядом с Рейчел, часто меняя пропитавшуюся кровью повязку на свежую. Рейчел все еще не приходила в сознание. На белых простынях она казалась еще бледнее.

Ноубл бросил взгляд на часы, стоящие на каминной полке. Близилась полночь. Почему Алехандро до сих пор не вернулся с доктором? Куда они подевались?!

Он отказался от еды, которую принесла ему Маргрета. Если доктор Стэнхоуп не приедет в ближайшее время, ему придется самому извлекать пулю. При мысли об этом Ноубла охватывала паника — пуля глубоко засела в груди, и только врач знал, как оперировать в непосредственной близости от сердца.

Ночь подходила к концу — начало светать. Ноубл поднялся со стула, чтобы погасить свет, и вернулся на прежнее место. Если Рейчел умрет, это будет его вина — в глубине души он знал, что пуля предназначалась ему.

Рейчел застонала и начала метаться по кровати, на повязке, которую он наложил несколько минут назад, появилась свежая кровь. Ноубл прижал девушку к матрацу, и через некоторое время она успокоилась.

Утренний ветерок шевелил занавески, и вскоре лучи солнца проникли в комнату через открытое окно. Ноубл приготовился к неизбежному. Ждать врача больше нельзя; он должен извлечь пулю, иначе Рейчел истечет кровью.

Маргрета просунула голову в дверь. Это была миниатюрная женщина с правильными чертами лица, выглядевшая лет на десять моложе своего возраста. В ней было нелегко признать мать пятерых рослых сыновей. Темные волосы были заплетены в косу, уложенную в пучок на затылке. Она вошла в комнату и положила руку на плечо Ноубла.

— Позвольте мне посидеть с сеньоритой, хозяин, пока вы отдохнете. Вы ведь не отходили от нее всю ночь.

Ноубл покачал головой:

— Мне придется удалить пулю, Маргрета. Принеси самый острый нож, какой сможешь найти, и побольше кипятка. Еще мне понадобится виски и чистые простыни.

— Хорошо, хозяин, — кивнула Маргрета и бросила горестный взгляд на Рейчел. — Что, дело плохо, не так ли?

— Очень плохо.

Маргрета ушла выполнять поручение, а Ноубл снял окровавленную повязку и внимательно осмотрел рану. Пуля находилась менее чем в дюйме от сердца и только по счастливой случайности не задела его. Ноубл набрал воздух в легкие, чувствуя, как вспотели его ладони. Щеки Рейчел теперь покраснели от жара — еще один плохой признак.

Ему казалось, что прошло несколько часов, прежде чем вернулась Маргрета. Он придвинул к кровати маленький деревянный стол, Маргрета накрыла его простыней и положила на нее нож и бинты, поставив рядом горячую воду.

— Мне потребуется твоя помощь, — сказал Ноубл, внимательно посмотрев на жену Алехандро. — Ты справишься?

Маргрета выглядела испуганной, но кивнула без колебаний:

— Я не подведу вас, хозяин.

Перекрестившись и пробормотав молитву, она встала рядом с Ноублом, стиснувшим рукоятку ножа.

Ноублу и раньше приходилось вырезать пули — но не засевшие так близко к сердцу и не у женщин. А теперь ему предстояло проделать эту операцию с Рейчел — девушкой, которую он знал, казалось, всю свою жизнь! Одно неверное движение довершит то, что начал неизвестный стрелок. Ноубл окунул нож в виски, жалея, что не может выпить — это помогло бы выдержать испытание. Но он не поддался искушению, зная, что руки должны оставаться твердыми.

— Мне нужно побольше света, Маргрета. Принеси еще пару ламп. — Ноубл тянул время и отлично это понимал. — Черт возьми, если бы только приехал доктор!

В этот момент Рейчел открыла глаза, увидела Ноубла с ножом в руке и попыталась поднять голову, но была для этого слишком слаба. Комната поплыла у нее перед глазами.

— Убей меня! — прошептала она, облизнув сухие губы. — Мне все равно...

— Рейчел, — заговорил Ноубл, отложив нож, — ты помнишь, что с тобой произошло?

Слова застревали у Рейчел в горле. Почему ее грудь горит, как в огне? Почему она не может пошевелиться?

— Где я?

— В Каса дель Соль. Я привез тебя сюда после того, как тебя подстрелили.

Рейчел пыталась сосредоточиться, преодолевая боль и тошноту. Он сказал, что ее подстрелили? Кровь похолодела у нее в жилах. Ей захотелось встать и бежать отсюда со всех ног. Но когда она снова попыталась приподняться, рука Ноубла опустилась ей на плечо. Удержать Рейчел не составляло труда: она была слаба, как новорожденный младенец.

Голос Ноубла звучал глухо, словно он обращался к ней из глубокой пещеры.

— В тебя стреляли, Рейчел, и... — начал он объяснять.

Но мысли Рейчел путались. Она посмотрела на нож, и ее охватил ужас.

— Ты в меня стрелял, а теперь хочешь докончить работу? Ну так действуй — я не могу тебе помешать!

Ноубл ощутил тошноту. Неужели она думает, что он способен причинить ей вред? Он вспомнил Рейчел у реки — прекрасную, соблазнительную и неотразимую.

— Тебе нельзя волноваться. Постарайся успокоиться. Я хочу помочь тебе.

Рейчел устремила взгляд на испанку, смотревшую на нее с состраданием.

— Помогите мне, сеньора, иначе он...

Тьма кружила над Рейчел, словно хищная птица. Ее чувства обострились до предела, но тело было парализовано слабостью. Свет таял вместе с надеждой. Она плыла по темному безбрежному морю, где не было боли. «Если так себя чувствуют, умирая, — подумала она, — то это не так уж плохо».

Ноубл глубоко вздохнул и кивнул Маргрете.

— Слава богу, что она снова потеряла сознание. — Он перекрестился и прошептал молитву, прося господа помочь ему спасти Рейчел.

* * *

Рейчел проснулась в смятении. Она ощущала тяжесть, давящую ей на грудь, а когда шевельнулась, ее пронзила острая боль и к горлу подступила тошнота. С трудом набрав воздух в легкие, Рейчел повернула голову к лампе, мерцающей на столике у кровати. Пламя было слишком слабым, чтобы освещать темные углы комнаты.

Все казалось незнакомым. Рейчел никогда не видела стоящий у противоположной стены массивный резной гардероб. Медленно обернувшись, она уставилась на двойные двери, которые были распахнуты настежь, пропуская в помещение легкий ветерок. Снаружи виднелись верхушки деревьев — очевидно, двери выходили на балкон.

Где же она оказалась?

Рейчел слышала бормотание мужских голосов за дверью в коридор, но не могла разобрать слов. Да и зачем ей это? Она чувствовала страшную усталость и хотела только спать.

Внезапно дверь открылась, и в комнату вошел Ноубл. Он внимательно посмотрел на Рейчел своими темными глазами и сказал кому-то, стоящему позади:

— Она проснулась.

В голове Рейчел замелькали смутные воспоминания. Ну конечно — она находится в Каса дель Соль! Но почему она здесь? Рейчел вспомнила, как плавала обнаженной вместе с Ноублом и старалась соблазнить его, но все дальнейшее было покрыто мраком. Она не могла вспомнить, как очутилась в Каса дель Соль.

При виде доктора Нейтана Стэнхоупа Рейчел сразу успокоилась. Ведь он принимал роды у ее матери и лечил ее, когда она была еще девочкой.

Рейчел попыталась приподняться, но ей не хватило сил. Она хотела сообщить доктору, что в этом доме ей грозит опасность, но горло перехватила судорога. Наконец ей удалось вымолвить:

— Пожалуйста, доктор Стэнхоуп, заберите меня отсюда...

Невысокий лысоватый мужчина склонился над ней, глядя на нее добрыми серыми глазами. Рейчел знала, что вся жизнь доктора Стэнхоупа заключалась в его работе. Он никогда не женился, целиком посвятив себя страдающим людям.

— Я должен осмотреть твою рану, Рейчел, чтобы определить, сможешь ли ты выдержать переезд в «Сломанную шпору».

Рейчел покосилась на Ноубла, и ее сердце сжалось от страха.

— Я хочу поговорить с вами наедине, доктор Стэнхоуп.

Он повернулся к Ноублу:

— Подождите снаружи, пока я осмотрю ее. Я позову вас, если мне понадобится помощь.

Ноубл мрачно кивнул и вышел, бесшумно закрыв за собой дверь. Прислонившись к стене, он ждал, что скажет ему доктор о состоянии Рейчел, и надеялся, что, удалив пулю, не принес ей больше вреда, чем пользы.

* * *

Рейчел облизала пересохшие губы.

— Вы должны забрать меня отсюда. — Она сделала паузу, чтобы перевести дыхание. — Ноубл... убьет меня! Он уже один раз попытался...

Доктор Стэнхоуп с сочувствием смотрел на нее.

— Ты хочешь сказать, что Ноубл всадил в тебя пулю, чтобы потом извлечь ее?

Рейчел в отчаянии закрыла глаза. Ну конечно, доктор принял ее за истеричку! Глубоко вздохнув, она попыталась говорить спокойно:

— Я видела его с ножом.

Доктор Стэнхоуп кивнул и похлопал ее по руке:

— Ты видела Ноубла с ножом, которым он удалил пулю у тебя из груди. — Улыбнувшись, доктор показал ей ружейную пулю. — Вот сувенир, который извлек из тебя Ноубл.

Рейчел в ужасе уставилась на пулю, а доктор Стэнхоуп поставил на кровать черный саквояж, открыл его и достал ножницы.

— Ноубл послал за мной в город своего старшего пастуха, Алехандро. К сожалению, я принимал ребенка у Хелен Саймон и не смог приехать сразу. Роды были нелегкими. — Говоря, он проворно разрезал бинты. — Но теперь мать и ребенок в полном порядке, а Гилберт стал счастливым отцом седьмого сына.

Рейчел почти не обратила внимания на новости о седьмом сыне Гилберта Саймона.

— Я думаю, Ноубл снова попытается убить меня. С ним была испанка — спросите ее, что он хотел со мной сделать.

— Должно быть, это Маргрета — жена Алехандро. — Доктор Стэнхоуп разрезал последний бинт, осмотрел рану и удовлетворенно кивнул. — Ноубл отлично поработал. Я бы не смог прооперировать лучше.

Почему доктор не слушает ее?!

— Вы не понимаете! У Ноубла есть причины желать мне смерти.

— И что же это за причины, Рейчел? — Таким тоном доктор мог бы говорить с ребенком.

— Я презираю его! Я поклялась отомстить ему за отца, и он знает, что я это сделаю!

— Черт возьми, Рейчел, Ноубл сражался с целой армией янки. Неужели ты думаешь, что он станет беспокоиться из-за одной женщины?

— Он понимает, что я... — Рейчел не договорила. Ее мысли путались, и она не могла придумать вескую причину, по которой такой человек, как Ноубл Винсенте, мог желать ей смерти. — Некоторым людям не нужна причина, чтобы убивать, доктор Стэнхоуп.

— И ты считаешь, что Ноубл — один из них?

— Нет, — честно призналась она. — Но мне кажется, что...

— Хочешь знать правду? — прервал ее доктор.

Рейчел кивнула. Она доверяла ему так же, как доверяла отцу.

— Ноубл спас тебе жизнь, удалив пулю. Она прошла менее чем в четверти дюйма от твоего сердца.

Рейчел поежилась. Она напрягала память, но видела недавние события словно сквозь тонкую вуаль. Ноубл не мог стрелять в нее, так как ему негде было спрятать оружие — они же оба находились обнаженными в реке! Но ведь больше некому было желать ей смерти! Рейчел попыталась шевельнуться, однако ее вновь пронзила нестерпимая боль.

— Придется полежать спокойно, Рейчел, если хочешь, чтобы рана зажила, — строго сказал доктор Стэнхоуп. — И постарайся не волноваться.

Но Рейчел едва слышала его.

— Если Ноубл не стрелял в меня сам, он мог поручить это кому-то из своих людей.

— Кому? — В голосе доктора послышались нотки раздражения. — Добряку Алехандро? Он готов умереть за Ноубла, но не стал бы убивать ради него женщину. А может быть, ты думаешь, что в тебя стреляла Маргрета или кто-то из ее сыновей?

— Это мог сделать один из вакерос.

— Нет. Они все покинули гасиенду после смерти дона Рейнальдо.

— Значит, они бросили Ноубла, — с удовлетворением отметила Рейчел.

Доктор покачал головой, накладывая на рану целебную мазь и снова перевязывая ее.

— Думаю, большинство из них примчится назад, узнав, что Ноубл вернулся. Вакерос из Каса дель Соль преданы семье Винсенте.

— Так или иначе, доктор Стэнхоуп, кто-то стрелял в меня. Сама я, безусловно, этого не делала.

— Это верно. — Он внимательно посмотрел на нее. — Ноубл не сообщил мне никаких подробностей — только сказал, что вы были вдвоем, когда в тебя выстрелили. Может быть, ты расскажешь мне все, что помнишь об этом инциденте, чтобы я мог передать это шерифу Гриншо?

Рейчел покраснела и отвернулась. Она не могла рассказать никому — тем более доктору Стэнхоупу, — что плавала обнаженной с Ноублом Винсенте.

— Я почти ничего не помню... — Рейчел поднесла руку к груди и осторожно дотронулась до повязки. — Мне можно вернуться домой?

— Пока еще нет. Тебе лучше не вставать, по крайней мере, неделю. Ты потеряла много крови, и я не могу рисковать. Не дай бог, рана откроется.

Рейчел уже не боялась Ноубла, но стыдилась своего дерзкого поведения на реке. Как она сможет посмотреть ему в глаза после того, как он видел ее обнаженной?

Доктор Стэнхоуп счел ее молчание знаком согласия.

— Здесь тебе будет обеспечен самый лучший уход, Рейчел.

— Вы ведь никогда не верили, доктор, что Ноубл застрелил моего отца? — неожиданно спросила она.

— Никогда. Я знаю Ноубла всю жизнь — такой трусливый поступок не в его духе. Он человек чести, как и его отец. А теперь будь хорошей девочкой и выпей это.

Доктор предложил ей ложку какой-то дурно пахнущей жидкости. Рейчел наморщила нос, как делала это, когда была маленькой девочкой и ее уговаривали принять лекарство.

— Что это?

— Всего лишь болеутоляющее, которое даст тебе возможность поспать.

Рейчел неохотно позволила доктору Стэнхоупу приподнять ей голову и влить лекарство в рот.

— Хочешь, чтобы я послал за твоей сестрой? — спросил он, удовлетворенно кивнув.

— Нет! — почти крикнула Рейчел и добавила более спокойным голосом: — Я не хочу, чтобы

Делия знала о происшедшем, пока я не смогу вернуться домой.

Доктор пожал плечами и взял свой черный саквояж.

— Как тебе угодно. Я приду осмотреть тебя завтра или послезавтра и дам указания Маргрете, как тебя кормить. Думаю, через пару дней ты уже сможешь поесть мяса, чтобы набраться сил. — Он направился к двери, но на пороге обернулся: — Теперь ты не думаешь, что Ноубл стрелял в тебя?

— Нет, — сонно отозвалась Рейчел — лекарство уже начинало действовать.

— Ноубл считает, что убить хотели его, а тебя ранили по ошибке.

— Вполне возможно. — Рейчел зевнула и закрыла глаза.

* * *

Когда доктор Стэнхоуп вышел из спальни, Ноубл ждал в коридоре. Лицо его было обеспокоенным.

— Как она?

— С ней все будет в порядке. А вот если бы вы ждали меня, чтобы удалить пулю, могла бы начаться гангрена.

— Мне никогда в жизни не было так страшно, доктор. Не знаю, как вы делаете это день за днем.

Доктор Стэнхоуп усмехнулся:

— Выходит, теперь ты испытываешь больше уважения к моей профессии?

— Я всегда уважал вас. Но мне было чертовски трудно вонзить нож в Рейчел.

— Могу себе представить. К счастью, Рейчел выносливая девушка. Отец воспитывал ее как сына, и сейчас она взяла на себя такую ответственность, от которой шарахнулись бы многие взрослые мужчины. Ее здесь все уважают. Рейчел уже давно могла бы выйти замуж, если бы захотела, — и не только потому, что ей принадлежит «Сломанная шпора». Она выросла настоящей красавицей.

Ноубл мог бы это подтвердить, добавив кое-какие подробности, но ограничился кивком.

— Рейчел должна подольше полежать в постели, иначе рана может открыться, — заметил он. — Ей пока нельзя уезжать отсюда.

— Я уже предупредил ее, — сказал доктор Стэнхоуп, направляясь к лестнице.

Ноубл прислонился к стене, скрестив руки на груди.

— Рейчел боится меня — она почему-то думает, что это я стрелял в нее.

Доктор остановился:

— Теперь уже не думает.

— Может быть, вы побудете здесь, пока она не окрепнет настолько, чтобы уехать?

— Не могу. Но я обязательно заеду к вам завтра. А сейчас я загляну на кухню полакомиться кофе и великолепными тортильями[1] Маргреты. Мне нужно проинструктировать ее, как ухаживать за пациенткой.

Ноубл спустился с лестницы, вышел во двор и

---

[1] Тортилья — кукурузная лепешка, заменяющая в Мексике хлеб.

посмотрел вверх на высокие перистые облака. Слава богу, Рейчел поправится, но где-то бродит неизвестный убийца, который ранил ее. Тяжело вздохнув, Ноубл прошептал слова молитвы, которую он не смог произнести на могиле отца:

— Благодарю тебя, боже, за то, что ты сохранил ей жизнь!

* * *

В тот день Рейчел проснулась только под вечер. Она увидела золотистый свет заходящего солнца и услышала шелест деревьев за балконными дверями.

Вошла Маргрета с чашкой густого мясного бульона и радостной улыбкой на лице. Поев и выпив ложку невкусного лекарства, Рейчел снова заснула.

* * *

Ноубл постелил себе одеяло на полу в пустой комнате напротив той, где поместили Рейчел. Хотя Маргрета легла в спальне девушки, он хотел быть поблизости на случай, если Рейчел что-нибудь понадобится ночью. Кроме того, он не исключал, что убийца попробует снова подобраться к ней.

Лежа на спине, Ноубл прислушивался к звукам большого дома. Он уже не казался таким пустым. Вместе с Рейчел в нем появилась жизнь...

Ноубл перевернулся на бок, ища более удобную позу. Он не мог избавиться от чувства вины, зная, что Рейчел ранили из-за него. Никто не мог желать ее смерти. Пуля предназначалась ему.

Уставясь в темноту, Ноубл наблюдал, как луна играет в пятнашки с облаками. Заснуть никак не удавалось, поэтому он встал и подошел к окну, рассеянно глядя во двор и слушая, как шелестят деревья, колеблемые ветром, и шуршат сухие листья на каменных плитках двора. Завтра нужно будет приказать одному из сыновей Алехандро убрать двор...

Мысли Ноубла снова устремились к Рейчел. Кто мог так сильно желать ему смерти, чтобы подвергнуть опасности ее жизнь?

Врагов у него было предостаточно, но, кто бы это ни был, он рано или поздно найдет его!

9

Остин, Техас.

Дворецкий с приобретенным за годы практики достоинством шагал по китайскому ковру с красно-золотым узором в направлении столовой. На заднем плане слышались звуки пробудившегося дома — один слуга полировал дубовые лестничные перила, другой начищал до блеска дверные ручки, третий мыл окна. Из кухни доносился слабый звон кастрюль и сковородок вместе с бормотанием старшей кухарки, дающей указания подчиненным.

В доме Чандлеров все свидетельствовало о богатстве, хотя немногие могли бы объяснить, каким образом Уит Чандлер приобрел свое состояние. Он пользовался популярностью как у техасцев, так и у янки и умудрялся угождать обоим лагерям, не оскорбляя при этом ни один из них. Уит нравился большинству людей, хотя опять же никто не мог бы объяснить, почему. Возможно, благодаря умению слушать собеседника с таким видом, будто тот поглощает все его внимание. Помимо личного обаяния, у него была красивая жена, что также шло ему на пользу.

Делия сидела за столом напротив мужа, наблюдая, как он читает газету. В квадратном лице Уита ощущалось нечто мальчишеское — он выглядел значительно моложе своих лет. У него были светлые вьющиеся волосы, глубоко посаженные серо-голубые глаза и слегка кривой нос, сломанный в юности, — результат взрывного темперамента, который он с тех пор научился контролировать.

Делия отнюдь не была уверена, что до конца понимает мужа; впрочем, ее это не слишком заботило. На людях она отлично справлялась с ролью покорной жены. Ей не составляло труда притворяться, будто она обожает своего мужа, и ловить каждое его слово, словно перл мудрости. Но дома они оставались почти чужими друг другу. Правда, Уит достаточно часто приходил к ней в постель, так как заниматься любовью нравилось им обоим. Но подлинной любви между ними не было — во всяком случае, со стороны Делии. А поскольку Уит никогда не говорил, что любит ее, она считала, что он относится к ней так же, как она к нему. И надо сказать, ее это нисколько не волновало.

Войдя в столовую, дворецкий деликатно кашлянул и протянул Уиту серебряный поднос.

— Доброе утро, Хэмиш. — Улыбнувшись, Уит взял с подноса письмо. Затем его лицо приняло озадаченное выражение. — Это от Харви Брискала.

— Не знала, что этот маленький хорек умеет писать, — с отвращением сказала Делия. — Насколько я помню, он помощник Айры Гриншо. Я встречала его только однажды, и он показался мне круглым дураком.

Уит пробежал глазами письмо и сердито посмотрел на жену.

— Черт возьми! — выругался он. — На сей раз твоя сестрица зашла слишком далеко!

Делия кивком подала Хэмишу знак удалиться.

— О чем ты? — спросила она, когда дворецкий вышел. — Что еще натворила Рейчел?

Уит бросил ей письмо. Прочитав первые строчки, Делия побледнела.

— Если я правильно поняла, Рейчел ранена! Но здесь не говорится, насколько серьезно и кто в нее стрелял... — Делия быстро поднялась. — Я должна немедленно ехать к ней!

Уит схватил ее за руку и усадил на стул.

— Читай дальше!

Делия дочитала письмо и недоуменно уставилась на мужа.

— Здесь говорится, что Рейчел поправляется в Каса дель Соль. Что это значит? Почему она в доме Ноубла, которого презирает?

— Именно это я и намерен выяснить. — Уит швырнул на стол салфетку. — Хотя я приставил кое-кого наблюдать за ней, она все-таки умудряется попадать в переделки! Пожалуй, мне пора нанести визит твоей сестре. От твоих поездок никакого толку. На сей раз ты останешься здесь, а я поеду к Рейчел. Она нас погубит!

Делия сердито посмотрела на него.

— Рейчел ранена, и мы не знаем, насколько тяжело, а ты можешь думать лишь о том, как это отразится на твоей карьере. Ну, так знай: Рейчел — моя сестра, и ни ты, ни кто другой не помешает мне поехать к ней, когда она во мне нуждается! А что до того, что Рейчел нас погубит... Вспомни, как ты относишься к собственной семье? Ты никогда не ездишь ни к матери, ни к брату и не приглашаешь их сюда. Они твои единственные родственники, а ты ведешь себя так, словно стыдишься их.

Уит наморщил лоб, а его светлые брови почти сошлись на переносице.

— Ты права, моя семья никогда не будет частью моей жизни. — Он злобно усмехнулся. — Думаешь, я не знаю, что мой братец Фрэнк волочился за тобой? Он хотел заполучить тебя, но ты досталась мне!

Делия опустила глаза:

— Я должна упаковать вещи, чтобы уехать сегодня же.

Уит прищурился:

— Я не желаю, чтобы ты приближалась к Ноублу, понятно? Возможно, он все еще влюблен в тебя.

Делия отвела взгляд, чтобы муж не мог прочитать ее мысли. В свое время она позволила ему думать, будто Ноубл любил ее, и считала за благо, чтобы он продолжал пребывать в этом заблуждении.

Желая переменить тему, Делия бросила на стол письмо Харви Брискала и нахмурилась.

— Ты поручил помощнику шерифа следить за Рейчел? Если так, то мне это не нравится.

— Это не твоя забота. Но если за Рейчел не присматривать, кто сможет предвидеть, что ей взбредет в голову? Рейчел наплевать на то, что я стараюсь сделать для Техаса.

— А что ты стараешься сделать для Техаса? — осведомилась Делия. — Я думала, что ты стараешься только набить свои карманы. И тебе это неплохо удается, верно?

Уит притворился, будто не слышал ее.

— Твоя сестра может все разрушить, если будет путаться с Ноублом. Кажется, сестрицы Ратлидж неравнодушны к испанской крови.

Делия покраснела от гнева:

— Как ты смеешь говорить мне это?! Рейчел не такая! Кроме того, она ненавидит Ноубла!

Уит усмехнулся:

— Ты в этом уверена? Признайся, что тревожит тебя больше всего, Делия? Здоровье твоей сестры — или то, что она сейчас может находиться в постели с Ноублом?

— Перестань, Уит!

Несколько секунд он молчал, тщательно подбирая слова. Уит никогда ничего не говорил и не делал необдуманно. Маска соскользнула с его лица, и он устремил на Делию взгляд, заставивший ее содрогнуться.

— Поезжай к сестре и отвези ее в «Сломанную

шпору», но держись подальше от Ноубла — понятно? Пообещай мне, что ты не будешь видеться с ним наедине!

— К чему притворяться, будто это тебя волнует, Уит? Тебя не интересует, чем я занимаюсь, пока я делаю это тихо и тайком, не нарушая твои планы насчет выборов.

Уит схватил ее за руку и притянул к себе:

— Что ты знаешь о моих чувствах?! Ты счастлива, покуда я покупаю тебе украшения и дорогие платья, но понятия не имеешь, чего это мне стоит. — Он оттолкнул ее. — Ты даже не спрашиваешь, откуда у меня берутся деньги.

— Убирайся к дьяволу! — Делия потерла запястье. — Я не желаю знать твои грязные секреты!

Его улыбка казалась угрожающей.

— Если я уберусь к дьяволу, то прихвачу тебя с собой. Там ты встретишься с твоим драгоценным Ноублом — он наверняка тоже окажется в аду. Впрочем, Ноубл Винсенте уже не тот жеребец, о котором когда-то вздыхали все восторженные девицы. Без отцовских денежек он ничем не отличается от простых смертных.

— Ты просто ревнуешь к Ноублу. Я знала, что ты ненавидишь его, но никогда не преполагала, что ты ему завидуешь.

— Чего ради? — Уит вынул из кармана часы и бросил равнодушный взгляд на циферблат, но Делия видела, что его рука дрожит. — У меня есть все, чего у него нет.

— Ну и что же у тебя есть?

Он сделал широкий жест рукой:

— Все это, дорогая, и ты в придачу. А Ноубл

лишился всего. Соседи презирают его, а вскоре, возможно, он потеряет и Каса дель Соль. Если я заполучу «Сломанную шпору», то приобрести Каса дель Соль для меня будет только вопросом времени.

— Неужели ты так сильно ненавидишь Ноубла?

— Ненавидеть кого-то слишком хлопотно. Я всего лишь радуюсь, видя, что Ноубл наконец получил по заслугам.

— А ведь его отец был очень добр к тебе. Не забывай, что он заплатил за твое обучение в юридической школе. Если бы не деньги Винсенте, ты не был бы тем, кем стал.

Уит пожал плечами:

— Да, дон Рейнальдо платил за мою учебу. Похоже, Винсенте любят заниматься благотворительностью. Признаю, что я обязан ему моим дипломом, но все, что я имею, я получил благодаря своему уму, Делия! — Он постучал себе по лбу.

— Тебе не нравилось пользоваться добротой Винсенте, не так ли? Даже теперь воспоминания об этом тебе неприятны.

— Да, я до сих пор ощущаю унижение, вспоминая свою учебу. Ведь мне приходилось писать дону Рейнальдо письма о моих успехах, чтобы старик продолжал оплачивать все расходы. Получив степень, я радовался, что больше не должен жить на деньги Винсенте.

— Только подумай, где бы ты сейчас был, если бы не эти деньги. Возможно, жил бы в лачуге с твоей семьей.

— Едва ли.

— Я понимаю, почему ты ненавидишь Ноубла. Но, повторяю, его отец был к тебе добр.

— Меня ни разу не приглашали на их ранчо, — с горечью отозвался Уит. — Они общались со мной через прислугу. Ну а я использовал их в своих целях — вот и все.

— Так же, как используешь меня?

Уит улыбнулся и понизил голос, чтобы его не услышали слуги:

— Мы оба используем друг друга, не так ли, дорогая?

Делия отвернулась:

— Я еду в «Сломанную шпору».

Уит взял ее за подбородок:

— Не задерживайся слишком долго, чтобы мне не пришлось ехать за тобой. В любом случае я отправлю с тобой Дэниелса, чтобы не упускать тебя из виду.

— Еще один из твоих шпионов?

— Можно сказать и так.

— А кто остальные?

— Об этом тебе незачем знать. Просто помни, что за тобой наблюдают, и держись подальше от Ноубла.

— Тебе не запугать меня, Уит. И ты не можешь мне приказывать. В конце концов, я — твоя жена, а не одна из твоих прихлебателей.

— Только не забывай, что те, кто работает на меня, преданы мне. Мои враги — их враги.

Делия вышла из комнаты и быстро зашагала к лестнице. Угроза Уита звучала у нее в ушах. Она столкнулась с той стороной характера своего мужа, которую видела редко и которая всегда пугала ее. «Мои враги — их враги». Ноубл был его врагом... Должно быть, Уит подозревал, что где-то в глубине души она никогда не переставала любить Ноубла — в той глубине, которая не была испорчена честолюбием и оставалась юной и невинной.

Придя к себе в спальню, Делия налила стакан бренди и залпом его осушила. По ее телу распространилось тепло, и ей сразу стало легче. Но когда она подумала о Ноубле, на ее глазах выступили слезы, чего не случалось давно. Делия снова глотнула бренди, вытерла глаза и потянула шнур звонка, вызывая служанку. Она должна приехать к Рейчел как можно скорее!

Однако в комнату вошел Уит, который запер за собой дверь и положил ключ в карман. Подойдя к столу, он налил солидную порцию бренди Делии и немного меньше себе.

— Мне будет не хватать тебя. Я подумал, что мы могли бы выпить вдвоем, а потом заняться любовью.

— Не сейчас. Мне нужно упаковать вещи. — Делия открыла шкаф, достала несколько пар чулок и бросила их на кровать.

Уит протянул ей стакан:

— Уверен, что ты не станешь мне отказывать.

Делия пожала плечами и залпом выпила бренди. Уит забрал у нее стакан, развязал галстук и снял рубашку.

— Я не хочу делать это сейчас, Уит... — пробормотала Делия, но протест был чисто формальный — она уже развязывала пояс халата.

Наклонившись, Уит поцеловал Делию в грудь,

потом опустил ее на пол и лег сверху. Его руки шарили по ее телу, пробуждая привычную страсть.

— Я только хочу показать, без чего тебе придется обходиться, — прошептал он, раздвигая ей ноги.

Сознание Делии было одурманено бренди. На какое-то мгновение она почувствовала себя оскверненной, но это ощущение вскоре исчезло. Делия застонала, вонзив ногти ему в спину...

Поднявшись, Уит налил ей еще один стакан. Делия пыталась отказаться, но он настоял на своем. Потом Уит отнес ее на кровать, где она сразу заснула.

Делия проснулась только к вечеру. Уит был очень добр и внимателен — принес ей поднос с едой и буквально покормил с ложечки. Потом он опять налил ей бренди, и они снова занялись любовью.

Делию смутно беспокоила мысль о том, что ей нужно что-то сделать, но она не могла вспомнить, что именно...

* * *

Проснувшись, Рейчел некоторое время лежала неподвижно, боясь, что снова придет боль. Разрозненные фрагменты воспоминаний медленно выстраивались в целостную картину. Она все еще находилась в Каса дель Соль.

Рейчел попыталась сесть, но слабость приковывала ее к постели. Мысли лихорадочно мелькали у нее в голове, и каждая из них в итоге возвращала к сцене на реке. Рейчел сгорала от стыда.

Ведь Ноубл не знает, что такие дерзкие поступки совсем не в ее натуре и что она никогда не вела себя так с другими мужчинами! В тот момент это казалось правильным, но теперь она понимала, что совершила чудовищную глупость.

Тяжело вздохнув, Рейчел оглядела комнату. Мебели было немного, но вся она выглядела старой и дорогой. За приоткрытой дверью массивного гардероба виднелось несколько пар черных кожаных сапог. На сердце у нее внезапно потеплело — и все потому, что это была комната Ноубла! Рейчел судорожно глотнула и закрыла глаза. Она лежала на его кровати, ее голова покоилась на его подушке. Рейчел почти ощущала присутствие Ноубла рядом с собой, вспоминала прикосновения его рук и губ...

Рейчел сжала кулак с такой силой, что ногти вонзились в ладонь.

— Я не должна думать о нем! — решительно сказала она себе.

Вскоре дверь открылась, и вошла Маргрета. Увидев, что Рейчел проснулась, она весело заулыбалась.

— Сколько сейчас времени, Маргрета?

Женщина быстро заговорила по-испански, но Рейчел с трудом понимала только отдельные слова.

— Я плохо говорю по-испански, сеньора.

Маргрета погладила живот и указала на Рейчел.

— Да, я проголодалась, — кивнула Рейчел и указала на свой рот. Маргрета покивала в ответ и быстро вышла, закрыв за собой дверь. Рейчел хотелось попросить, чтобы ей принесли ее одежду и чтобы кто-нибудь из «Сломанной шпоры» приехал за ней, но как объяснить это Маргрете? Она закрыла глаза, и мысли ее вновь устремились к Ноублу. Если бы он желал ей смерти, то легко мог избавиться от нее, но вместо этого он спас ей жизнь...

В дверь постучали, и Рейчел обернулась.

— Войдите, — сказала она, думая, что Маргрета принесла завтрак.

Но в комнату вошел Ноубл.

— Ты в состоянии говорить? — спросил он, глядя на нее. — Обещаю, что не буду тебя утомлять.

После всего, что было на реке, Рейчел страшилась именно этого момента. Ей казалось, что она вновь чувствует прикосновение к своему телу обнаженного тела Ноубла. Она покраснела и отвела взгляд, будучи не в силах смотреть в его блестящие карие глаза и боясь, что он прочитает ее мысли.

— Я неважно себя чувствую, — пробормотала Рейчел, надеясь, что Ноубл уйдет.

Но он подошел ближе и остановился в лучах солнца, проникающих сквозь окно. На нем были черные кожаные брюки в обтяжку и белоснежная рубашка. Черные волосы были слегка взъерошены, как будто он скакал верхом, и Рейчел вдруг ощутила желание запустить в них пальцы...

Господи, о чем она думает?!

Рейчел закрыла глаза, чтобы не видеть возвышающейся над ней высокой фигуры.

— Тебе больно? — с тревогой спросил Ноубл.

— Только когда я дышу, — ответила она, все еще избегая встречаться с ним глазами.

Ноубл придвинул к кровати стул и сел.

— Доктор Стэнхоуп сказал, что с тобой все будет в порядке. Заражения нет. — Он посмотрел на бинты. — Тебе повезло, что пуля не прошла ниже.

Рейчел наконец посмотрела ему в глаза.

— Ты спас мне жизнь. Я благодарна тебе за это... и за твое гостеприимство, которым мне пришлось воспользоваться.

— Не говори об этом. — Ноубл выглядел так, словно не спал всю ночь. На его лице темнела щетина — он не успел побриться. — Мы оба знаем, что тот, кто тебя ранил, метил в меня. Кстати, не следует забывать, что он видел нас обоих в реке.

Рейчел опустила взгляд, чувствуя, как стыд кинжалом вонзается ей в сердце.

— Да, я думала об этом.

— Я найду того, кто это сделал. — Ноубл говорил тихо, но в его голосе звенела сталь. — Можешь не сомневаться.

— Если только он не найдет тебя раньше. Ты сам сказал, что этот человек метил в тебя. А поскольку он не попал в цель, то может попытаться снова.

Наступило молчание. Подняв глаза, Рейчел увидела, что Ноубл смотрит на нее.

— Я хотел сказать, что ты можешь оставаться здесь, сколько понадобится. Я послал сообщение твоей экономке, и она скоро приедет сюда. Возможно, ты захочешь, чтобы она осталась с тобой, пока ты не сможешь вернуться домой.

Рейчел подумала о том, каким утешением стало бы для нее присутствие Уинны Мей.

— Спасибо. Я бы очень хотела, чтобы Уинна Мей была рядом.

Ноубл закинул ногу на ногу и положил ладонь на сапог. Рейчел невольно сосредоточила внимание на его руках. В них ощущалась сила, но она знала, что их прикосновения могут быть мягкими и нежными.

Видя, как она покраснела, Ноубл прочитал ее мысли.

— Не думай об этом, Рейчел, — сказал он. — Этого больше не повторится.

Она вцепилась в простыню.

— Наверное, ты считаешь, что я...

— Я считаю, что ты невинная девушка, которая играла с огнем и, слава богу, не обожглась.

— Только получила пулю, — усмехнулась Рейчел.

— И поэтому сейчас должна отдыхать. Я только хотел сообщить, что намерен сделать все возможное, чтобы найти того, кто в тебя стрелял.

Глядя на жилку, пульсирующую на шее Ноубла, Рейчел почувствовала, что сердце ее забилось сильнее. Неужели она совсем забыла, что он ее враг?!

— Это твоя спальня? — спросила она, чтобы переменить тему.

— Да. — Ноубл улыбнулся. — Это единственная комната с кроватью.

— А где же ты спишь сейчас?

— В комнате напротив.

— Постараюсь не занимать твою кровать дольше, чем необходимо.

На губах Ноубла все еще играла улыбка.

— Мне нравится, что ты спишь в моей кровати.

Ноубл повернулся и вышел, оставив ее размышлять над его словами.

Рейчел сознавала, что их жизни связаны неразрывно. Как бы она ни старалась, ей не удастся забыть, как их обнаженные тела касались друг друга. Она чувствовала, что Ноубл тоже никогда этого не забудет...

Внезапно по спине у нее забегали мурашки. Кто-то видел ее с Ноублом в реке! Кто же это был?

Рейчел закрыла глаза. Ей было ясно одно: тот, кто ранил ее, все еще охотится за Ноублом.

10.

Уинна Мей пробыла в Каса дель Соль неделю и сразу же по приезде заставила почувствовать свое присутствие, отдавая приказы и ожидая беспрекословного их выполнения. К счастью, она достаточно хорошо говорила по-испански, чтобы высказывать свои пожелания Маргрете, которая охотно уступила ей уход за Рейчел.

Как-то утром, закончив заплетать волосы Рейчел, Уинна Мей обмахивала ее разноцветным складным веером.

— На будущей неделе ты уже достаточно окрепнешь, чтобы вернуться в «Сломанную шпору», — заявила она с присущей ей безапелляционностью.

— Я провела здесь двенадцать дней, — печально отозвалась Рейчел, — и мне не терпится снова оказаться дома.

Она могла бы добавить, что за все это время Ноубл посетил ее только дважды. Рейчел сама не знала, почему это имеет для нее такое значение. Конечно, Ноубл мог не приходить по многим причинам, но лишь одна из них казалась вероятной. Он не доверял ей, опасаясь повторения сцены на реке.

Господи, сможет ли она когда-нибудь пережить это унижение?..

Уинна Мей поправила простыни и обратилась к Рейчел с обычной прямотой:

— С тобой здесь прекрасно обращались. — В ее голосе послышались нотки упрека. — Не забывай, что ты жива только благодаря Ноублу Винсенте!

— Знаю, — кивнула Рейчел. — Мне вообще нужно о многом подумать. Я еще никогда не была в таком замешательстве.

— Если ты беспокоишься о своем здоровье, то доктор сказал, что об этой истории тебе будет напоминать только маленький шрам. И что, если бы не твердая рука Ноубла, шрам мог оказаться куда больше.

— Дело вовсе не в моем здоровье. Мне не нравится пользоваться гостеприимством человека, который убил моего отца.

— А тебе не кажется странным, что человек, который убил отца, спасает жизнь дочери?

— В последнее время я тоже начала сомневаться в виновности Ноубла, — нехотя призналась Рейчел. — Как ты думаешь, он сделал это?

Уинна Мей выпрямилась и взбила подушки Рейчел.

— Нет. Я никогда не верила, что Ноубл убил твоего отца, и знаю, что он не стрелял в тебя.

— В меня стрелять Ноубл не мог. Но я все еще не уверена, что он не убивал папу.

— Хотя возле тела твоего отца нашли оружие Ноубла Винсенте, я готова биться об заклад, что его нарочно оставили там, чтобы свалить вину на Ноубла.

— Это единственная причина, по которой ты считаешь его невиновным? Если так, то твои доводы звучат не слишком убедительно.

— Кроме всего прочего, у меня есть глаза и уши, — спокойно отозвалась Уинна Мей. — Благодаря им я кое-что вижу и слышу.

— Что именно?

— Например, то, что многие здесь завидовали семье Винсенте. Многим хотелось бы походить на Ноубла, но не всем это удается. Кое-кто не возражал бы затянуть петлю у него на шее. Хорошо еще, что наш шериф Гриншо — разумный человек.

Рейчел откинулась на подушки, на ее лице отразилось сомнение.

— Хотела бы я быть такой же уверенной в этом, как ты!

— По-твоему, Ноубл — полоумный? — осведомилась Уинна Мей, глядя Рейчел в глаза.

— Едва ли.

— Тогда как он мог совершить убийство и оставить возле трупа оружие, чтобы его там нашли?

Делия приводила тот же аргумент, и Рейчел отвергла его. Но в устах благоразумной Уинны Мей он звучал более убедительно.

— Возможно, Ноубл не собирался убивать моего отца, но, когда это случилось, он испугался и убежал, — неуверенно предположила она.

— Значит, Ноубл — трус?

Рейчел прижала пальцы к вискам:

— Конечно, нет! Но почему ты никогда не говорила мне этого раньше?

— Ты ни разу меня не спрашивала. А я не привыкла высказывать свое мнение, когда меня об этом не просят.

— Но если Ноубл невиновен, то почему он убежал? Где он провел все эти годы? Делия забеременела от него, а Ноубл оставил ее наедине с позором. Он ведь не мог знать, что Уит женится на ней.

Уинна Мей взяла графин и направилась к двери.

— Почему бы тебе не спросить у Ноубла, что у них произошло? — Она задержалась на пороге. — И почему бы не задать те же вопросы твоей сестре?

* * *

Ноубл шел по конюшне, заглядывая в стойло каждой из шести лошадей, составлявших весь его табун. Он не чурался тяжелой работы и этим утром уже успел вычистить стойла и принести лошадям свежего сена. Но как произвести ремонт, не имея ни денег, ни людей? Сколько времени продержится Каса дель Соль, если не будет дождей?

Он упрямо выпятил подбородок. Ничто не заставит его отказаться от отцовского наследства! Винсенте не отступают перед трудностями — они сражаются до победы.

Ноубл вытер рукавом пот со лба. Жара стала еще сильнее — даже в сооруженной из кирпича конюшне было невыносимо душно. Выйдя наружу, он подошел к высокому дубу и остановился в тени его ветвей. В западном Техасе одно хорошо — если стоишь под деревом, когда дует ветер (а он дует всегда), в любую погоду становится прохладно. Ноубл устремил взгляд на безоблачное небо. Если бы только прошел ливень и покончил с жарой и засухой!

Щурясь на ярком солнце, Ноубл увидел, что на горизонте показалось облако пыли — к гасиенде приближалось несколько всадников. Его рука машинально потянулась к кобуре, но он вспомнил, что оставил револьвер в доме. С мрачной решимостью Ноубл ожидал непрошеных гостей. Он насчитал двадцать три человека.

Утром Алехандро уехал в город, а его сыновья поскакали к реке измерить ее глубину. Ноублу предстояло встретить неизвестных посетителей в одиночку и без оружия.

Он был озадачен, увидев, что всадники машут руками, и услышав, что они кричат по-испански. Но, разглядев их лица, облегченно вздохнул и улыбнулся. Алехандро скакал во главе вакерос, которые раньше жили в Каса дель Соль — очевидно, как и предсказывал старший пастух, они решили вернуться. Ноубл почувствовал ком в горле и не мог вымолвить ни слова.

— Ничто не могло удержать их, хозяин, когда они услышали, что вы возвратились! — крикнул Алехандро. — Они готовы приступить к работе. Их семьи прибудут позже.

Вакерос спешились, улыбаясь хозяину. Каждый по очереди пожимал руку Ноублу, а он расспрашивал их о женах и детях. Наконец все замолчали, ожидая его указаний.

Ноубл обратился к ним по-испански:

— Спасибо вам, друзья. Но должен предупредить: у меня нет денег, чтобы платить вам. Я не стану думать плохо о тех, кто захочет уехать, так как знаю, что у большинства из вас есть семьи. — Не дождавшись ответа, он продолжал: — Если вы решите остаться, нас ожидают нелегкие времена. Я считаю вас лучшими вакерос в Техасе; любой фермер, который вас наймет, никогда в этом не раскается. Пожалуйста, подумайте об этом, прежде чем принять решение. Преданность — хорошая штука, но она не накормит ваших детей.

Никто из вакерос не двинулся с места.

— Отлично, — кивнул Ноубл. — Каса дель Соль — ваш дом. Привозите сюда ваши семьи, и я обещаю, что никто не будет голодать.

Широкополые сомбреро взлетели в воздух, и послышались дружные крики:

— Да здравствует Винсенте! Да здравствует Каса дель Соль!

Алехандро улыбнулся:

— Вы должны только объяснить им, что́ нужно делать, и это будет сделано.

— Ну что ж, мы начнем с перестройки кора́лей, починки крыши конюшни и приведения дома в порядок. Карлос и Мигель, поезжайте к восточному холму, найдите побольше заблудившихся коров и пригоните их на западное пастбище, поближе к Брасос, где трава получше.

— Мы погоним их в Канзас-Сити, хозяин? — с надеждой спросил Карлос. — Я слышал, там хороший рынок скота.

— Не в этом году, приятель. Несколько голов, которые у нас остались, пойдут на то, чтобы накормить ваших детей. — Взгляд Ноубла скользил по знакомым лицам. — Если мы снова будем процветать, каждый из вас получит хорошие деньги. Но нет никаких гарантий, что это произойдет.

— Обязательно произойдет! — уверенно заявил Алехандро.

На лице Ноубла отразилось сомнение.

— Мне кажется, я должен дать вам еще один шанс подумать. Кто из вас уедет, а кто останется?

— Никто не уедет, хозяин, — ответил за всех Алехандро.

Ноубл снова почувствовал ком в горле.

— Спасибо, друзья. Я никогда не забуду этот день. — Он повернулся к старшему пастуху: — Алехандро, позаботься, чтобы у каждого было место для житья и чтобы все как можно скорее смогли привезти свои семьи. Скоро в Каса дель Соль вновь зазвучит детский смех!

Ноубл зашагал к дому. Больше ему не придется сражаться в одиночку. Впервые после возвращения в Техас у него в сердце затеплилась надежда.

* * *

Пока Рейчел поправлялась, у нее было много времени для размышлений. Сцена на реке неоднократно представала перед ее мысленным взором, и она все сильнее убеждалась, что пуля предназначалась Ноублу. Ведь у нее никогда не было врагов, а у него их было множество.

Странно, но Рейчел негодовала на неизвестного стрелка не столько из-за своего ранения, сколько потому, что он посягнул на ее право отомстить Ноублу. Это она должна была выстрелить в него, а не какой-то трус, прячущийся за деревьями! Рейчел знала, что Ноубл одинок и не имеет друзей. Она пыталась радоваться его бедам, но вместо удовлетворения чувствовала жалость.

Закрыв глаза, Рейчел опустила голову на подушку. Даже малейшее усилие утомляло ее. Внезапно во дворе послышались шум, какие-то крики. Рейчел не могла понять, что там происходит, да ее это и не заботило. Ее глаза опять закрылись, и она погрузилась в объятия сна.

* * *

В Каса дель Соль кипела бурная деятельность. По приказу Алехандро молодые вакерос отправились к холмам на поиски заблудившихся коров, а люди постарше занялись ремонтом гасиенды. Они заменяли недостающие камни в кладках и куски черепицы на крышах, подметали дворы и вычищали фонтаны, где все еще не было воды. Женщины под руководством Маргреты делали уборку в доме — чистили камины, полировали лестничные перила, выскребали каменный пол в кухне и начищали до блеска кастрюли и сковородки. Мебель и ковры возвращались из кладовых на прежние места.

Каса дель Соль возрождалась, но Ноубл прекрасно понимал, что изменения были чисто внешними. Мог наступить день, когда у него не останется никаких средств содержать гасиенду. Тем не менее его походка стала более легкой, а в глазах исчезла печаль. У него появилась цель, а значит, причина для того, чтобы продолжать жить. К тому же он был в долгу перед вакерос и их семьями, которые остались ему верны, когда большинство людей отвернулось от него. Ноубл не забывал, что обязан вознаградить их преданность.

* * *

Наступил вечер, но небо на западе все еще пламенело. Рейчел убедила Уинну Мей, что она достаточно окрепла, чтобы выйти в очаровательный внутренний дворик с фонтанами, который был виден из окна спальни. Девушка становилась беспокойной и нетерпеливой — верный признак того, что она поправляется.

Откинувшись на спинку стоящего во дворе плетеного кресла, Рейчел слушала звучащую вдалеке испанскую гитару — вечерний ритуал, к которому она уже привыкла. На небе светила луна, словно подвешенная среди звезд с единственной целью — купать сад в золотистом сиянии.

Рейчел посмотрела на большой фонтан в форме богини на колеснице, запряженной четырьмя жеребцами. Другая статуя изображала молодого греческого бога, стоящего с натянутым луком, как будто готовясь поразить неизвестного врага. «Жаль, что в фонтанах нет воды», — подумала Рейчел. Ей бы хотелось увидеть их такими, какими они были при жизни дона Рейнальдо.

— Я рад, что ты уже в состоянии выходить из дому, Рейчел.

Обернувшись, девушка встретилась взглядом с Ноублом.

— Завтра я уезжаю домой, — сказала она первое, что пришло ей в голову.

Ноубл придвинул еще одно плетеное кресло и сел рядом с ней.

— Мне уже сообщили.

Рейчел внезапно стало трудно дышать. Она ощущала робость в присутствии Ноубла, и ей это не нравилось.

— Я пыталась вообразить, как бы выглядел этот двор, если бы в фонтанах была вода. Наверное, это было великолепное зрелище!

— Ты никогда не видела фонтанов?

— Нет. Я впервые в этом дворе.

— Здесь три таких двора. Этот назывался Двором Богов. Когда-то здесь было очень красиво. — Ноубл глубоко вздохнул и устремил взгляд на мраморных жеребцов. — Но это было в другой жизни.

Наступила пауза. Казалось, оба не могут найти слов.

— Рядом с этим двором находился сад моей матери, — наконец сказал Ноубл. — Но теперь здесь не осталось цветов. Ничто не остается прежним...

Рейчел вдруг ощутила жгучее желание прижать голову Ноубла к своей груди и утешить его. Но она быстро опомнилась, представив себе его реакцию.

— Каса дель Соль... Я знаю, что это означает Дом Солнца. Какая трагедия, что он пришел в запустение!

— Немногим семьям в Западном Техасе удалось избежать последствий войны.

— Да, для Техаса наступили печальные времена, — согласилась Рейчел. — Многих людей, которых я любила, уже нет в живых.

— Мы не можем вернуться в прошлое, Зеленые Глаза. Иначе все мужчины, женщины и дети исправили бы свои ошибки и мир стал бы идеальным.

— Не сомневаюсь, что безупречному Ноублу Винсенте было бы нечего исправлять. Ты когданибудь признавал свои ошибки?

— Ах, Рейчел, если бы все мои ошибки взгромоздить друг на друга, то выросла бы гора до самых звезд. У меня столько же недостатков, сколько у других людей — возможно, даже больше, чем у многих.

Почувствовав на себе пристальный взгляд Ноубла, Рейчел быстро переменила тему:

— Я слышала, что твоя сестра Сабер гостит у родственников в Джорджии. Ты привезешь ее домой?

— Я уже послал за ней. Она вернется до начала зимы.

— Мне очень нравилась Сабер, хотя она на несколько лет младше меня.

— Ты тоже ей нравилась. Впрочем, тогда все Винсенте любили тебя.

Ноубл отвернулся, и Рейчел, глядя на его чеканный профиль, подумала, что он мог бы послужить моделью для статуи бога с луком.

— Когда Сабер вернется, это место станет наконец настоящим домом. — Ноубл снова посмотрел на Рейчел. — Человеку нужна семья — теперь я это хорошо понимаю.

— У меня больше нет отца...

— И у меня тоже. Мы оба знаем, как трудно пережить утрату.

Почувствовав острую жалость к Ноублу, Рейчел до боли сжала кулаки. Она не должна жалеть его!

— Что ты знаешь о трудностях и утратах, Ноубл? Разве ты когда-нибудь страдал? Испытывал голод? Варил вместо кофе жареные пшеничные зерна? Где ты был, когда наши мужчины сражались и умирали на Севере?

В глазах Ноубла внезапно вспыхнул гнев.

— Хочешь знать, где я был? На берегу Энтитама. Я помню, как держал на коленях голову семнадцатилетнего сына Джесса Мак-Ви, чтобы из его раздробленного черепа не вытек мозг! Я оставался с ним, пока он не умер. Этот мальчик был слишком юным, чтобы сражаться на войне, которую мы не могли выиграть. Мне хотелось умереть вместо него, но судьба не была так милосердна.

— Какой ужас, Ноубл! Ты рассказал об этом Джессу и Мэри?

Взгляд Ноубла стал ледяным. Он покачал головой:

— Нет. Я был в их лавке — хотел им рассказать, но... Ладно, это не имеет значения. Мне жаль парня. Он был хорошим солдатом и погиб смертью храбрых. Кто-то должен им сообщить.

— Ты мог бы написать им.

— О таком лучше сообщать лично.

— А где еще ты сражался, Ноубл? — На сердце у Рейчел было тяжело. Она понимала, что этому гордому человеку нелегко делиться с ней своими чувствами.

— В Геттисберге — стрелял в безликого врага и видел, как мои товарищи падают один за другим. Видел, как Юг проигрывает войну. — В его голосе не слышалось никаких эмоций. — Ты спросила, голодал ли я? Мне три недели пришлось жить на диете из овса, который я делил со своей лошадью. Конечно, лошади я отдавал львиную долю, так как конфедератская кавалерия хороша только в седле.

Рейчел с трудом сдерживала слезы. Ей и в голову не приходило, что Ноубл мог отправиться на войну. Только бы не заплакать в его присутствии! Она обвинила Ноубла, что он никогда не испытывал трудностей, а на его долю выпало такое, что она и вообразить не могла.

Ноубл поднялся и щелкнул каблуками:

— Капитан Ноубл Винсенте из техасской бригады легкой кавалерии — к вашим услугам, мэм.

— Я думала, ты убежал после убийства моего отца.

Он подошел к фонтану и положил руку на одного из мраморных жеребцов.

— Рейчел, я получил приказ явиться с рапортом в Гэлвестон за неделю до смерти твоего отца. Я не убежал, а отправился воевать за Техас. — Ноубл смотрел поверх головы Рейчел. — Но каждый раз, стреляя во время сражения, я знал, что убиваю не врага, а соотечественника... Если бы мы выиграли эту войну, то погубили бы наши души. Она была несправедливой с самого начала.

— Ты говоришь, как Сэм Хьюстон.

— Надеюсь.

— И тем не менее ты сражался за Юг. — Рейчел пыталась понять логику его поступков.

— Я сражался за Техас, а не за Юг и не за порочные идеалы конфедератов. — Ноубл умолк, словно подыскивая слова, потом устремил на нее пронизывающий взгляд. — А тебе приходилось голодать, Зеленые Глаза?

— Нет, но я знаю тех, кто голодал. И я ненавижу войну за то, что она сделала с Техасом. Было бы куда лучше, если бы мы оставались отдельной страной, как хотел Сэм Хьюстон.

— Я чувствовал то же самое, Рейчел. Я не верил в войну, но верил в Техас. И если Техас участвовал в войне, то я должен был сражаться, как его верный сын.

— Значит, ты воевал не за дело Юга, а ради родной земли?

— Не могу сказать, что я это понял сразу. Сначала я был введен в заблуждение, как и многие другие. Но, так или иначе, я техасец и ни у кого не прошу прощения за то, что сделал.

Сердце Рейчел бешено колотилось. Она пыталась представить себе Ноубла в серо-желтом офицерском мундире, который наверняка был ему к лицу. Но внезапно ей пришла в голову мысль, что и его могла сразить пуля янки.

— Будь я мужчиной, — медленно произнесла Рейчел, — то обязательно пошла бы на войну.

Ноубл усмехнулся:

— Удивительно, что тебя остановила такая мелочь, как женский пол. Если бы ты отправилась воевать, у янки не осталось бы ни единого шанса на победу.

— Ты не имеешь права... — сердито начала Рейчел.

Ноубл остановил ее, подняв руку:

— Прости, это я неудачно пошутил. Так как ты завтра уезжаешь домой, я хотел попрощаться с тобой, потому что во время твоего отъезда меня здесь не будет. — Он протянул руку, но тут же опустил ее. — Если тебе что-нибудь понадобится сейчас или в будущем, говори, не стесняясь.

— Ноубл, я... — Рейчел пыталась подобрать слова, но ей было очень трудно выразить переполняющие ее чувства. — Я больше не ненавижу тебя! — выпалила она наконец.

Лицо Ноубла стало печальным.

— El amor vence al odio, — сказал он по-испански и двинулся прочь.

Рейчел, глядя ему вслед, проклинала себя за то, что не выучила испанский. Мысленно она повторяла его слова, чтобы не забыть их, и прислушивалась к ночным шорохам. В саду Ноубла было так красиво! Здесь должны были бы играть дети с блестящими черными глазами отца. Она покачала головой. Лучше не думать о детях Ноубла, так как сразу приходят на ум Делия и ее ребенок.

Если бы их соседи знали, что Ноубл побывал на войне, то, может быть, они бы отнеслись к нему более терпимо. Но гордость не позволяла ему рассказать о том, что он сражался за Конфедерацию. Рейчел почти физически ощущала его одиночество, сама не понимая, почему это ее беспокоит.

Она начинала верить в невиновность Ноубла, но напоминала себе, что он всегда умел манипулировать людьми и внушать им доверие к себе. Почему же ей так хотелось положить голову ему на плечо и выплакать все свои горести? Почему она чувствовала, будто внутри у нее все разрывается на куски?..

Поднявшись, Рейчел нетвердым шагом двинулась к дому. По лестнице она поднималась с трудом, тяжело дыша и цепляясь за перила. Добравшись до своей спальни, она бросилась на кровать, истощенная физически и душевно, и закрыла лицо руками, не желая думать ни о чем. Она понимала, что Ноубла ждут новые беды, и не сомневалась, что он тоже это знает.

— Я хочу домой, — прошептала Рейчел, когда Уинна Мей вошла в комнату, держа поднос с едой.

— Завтра, — невозмутимо произнесла Уинна Мей. — А сейчас ты должна поесть и отдохнуть, чтобы набраться сил перед поездкой.

Рейчел приподнялась на локте.

— Что означает «El amor vence al odio»?

Уинна Мей наморщила лоб и поставила поднос на кровать.

— Что-то вроде «Любовь побеждает ненависть».

По телу Рейчел словно разлилось тепло. «Любовь побеждает ненависть». Неужели это правда?..

11.

Ноубл прошел по коридору и заглянул в музыкальную комнату матери. Рояль вернули на прежнее место, сломанные окна заменили, а пол натерли до блеска. Но теперь это была обычная комната, ничем не отличающаяся от других. В ней отсутствовала атмосфера счастливых дней — эхо веселого смеха исчезло вместе с призраками прошлого.

Словно во сне, Ноубл бродил из комнаты в комнату, находя везде ту же пустоту. Он спрашивал себя, станет ли для него снова Каса дель Соль родным домом. Сейчас здание казалось даже более пустым, чем в тот день, когда он вернулся и обнаружил, что вся мебель исчезла.

После отъезда Рейчел одиночество стало невыносимым. Ноубл чувствовал себя таким же холодным и пустым внутри, как этот дом.

Подойдя к двери, ведущей в сад с фонтаном, он остановился. Ему вдруг стало страшно, что сейчас он увидит призрак в плетеном кресле... Господи, неужели он теряет рассудок? Сделав несколько шагов назад, Ноубл стиснул зубы и направился к парадной двери. У него есть работа, а для Рейчел нет места в его жизни! После того, что произошло между ними на реке, ему следует избегать ее. В его жизни и так достаточно проблем — незачем ее усложнять.

Самой неотложной проблемой были вакерос и их семьи, которые ежедневно прибывали на гасиенду. Они, словно дети, смотрели на Ноубла, ожидая указаний. Но в данный момент он не знал, как распорядиться даже собственной жизнью.

— Хозяин! — ворвался в его мысли голос Алехандро. — Мой сын Томас вернулся из Нового Орлеана и привез с собой человека, который хочет вас видеть.

— Кто это? — раздраженно спросил Ноубл. Он был не в том настроении, чтобы принимать гостей.

— Какой-то хорошо одетый джентльмен. Он специально приехал из Нового Орлеана, чтобы повидать вас.

Делать было нечего. Если человек прибыл издалека, он обязан по крайней мере поговорить с ним.

— Проводи его в мой кабинет, Алехандро.

— Сейчас. — И старший вакеро быстро удалился.

Каждый раз входя в кабинет, Ноубл ожидал увидеть своего отца, сидящего за массивным дубовым письменным столом. Его взгляд скользнул по восточной стене, уставленной от пола до потолка полками с книгами в кожаных переплетах. Он не сомневался, что отец прочитал все эти книги, а некоторые даже неоднократно. Ноубл снял с полки толстый том о животноводстве и быстро перелистал страницы. Уголки некоторых были загнуты, и он как никогда остро ощутил присутствие отца.

Услышав шаги, Ноубл поставил книгу на место и повернулся, чтобы приветствовать посетителя.

Незнакомец выглядел преуспевающим джентльменом. Его волосы уже поседели на висках и начали понемногу редеть. Дородная фигура была облачена в плотный черный сюртук и жилет, более подходящие для новоорлеанской гостиной, чем для западнотехасской гасиенды, которая плавилась от жары.

— Позвольте мне представиться, дон Ноубл. Я Джордж Нанн, поверенный вашей матери. Ваш отец тоже поручил моей фирме одно дело, но это было много позже. Рад с вами познакомиться.

— Я не пользуюсь отцовским титулом, — отозвался Ноубл. — Зовите меня сеньор или мистер Винсенте — как вы предпочитаете.

— Хорошо, мистер Винсенте.

— Так вы поверенный моей матери?

— Да. Я много лет представлял интересы ее семьи. Задолго до кончины вашей доброй матушки деньги, предназначенные для вас и вашей сестры, были переданы под опеку моей фирмы.

Ноубл указал на стул:

— Пожалуйста, садитесь и можете снять пиджак. Мы в Каса дель Соль не соблюдаем формальностей. Здесь слишком жарко.

Джордж Нанн с явным облегчением повесил

сюртук на спинку стула, расстегнул жилет и ослабил галстук.

— Благодарю вас. У вас и впрямь жарковато, — сказал он.

Подойдя к двери, Ноубл быстро отдал распоряжения Маргрете, потом вернулся к столу и сел.

— Моя экономка принесет вам прохладительный напиток, если, конечно, вы не предпочитаете чего-нибудь покрепче.

— Сейчас слишком рано для алкоголя, но я с удовольствием выпью что-нибудь холодное, сэр. У меня так пересохло в горле, словно я наглотался пыли по дороге сюда.

Ноубл положил руки на стол, скрывая нетерпение.

— Вы говорили о деньгах для меня и моей сестры. Я и не знал, что они существуют.

— Существуют, причем капитал вашей сестры весьма значительный, а ваш представляет просто-таки солидное состояние, мистер Винсенте.

Ноубл был слишком ошеломлен, чтобы что-нибудь сказать. К счастью, в этот момент Маргрета принесла напитки, дав ему время собраться с мыслями.

Мистер Нанн сделал несколько больших глотков лимонада и удовлетворенно кивнул. Поставив стакан на поднос, он принял деловую позу и обратился к Ноублу:

— Как вам, очевидно, известно, родители вашей матери умерли, завещав все своей единственной дочери. Согласно условиям, вы должны были унаследовать эти деньги по достижении двадцатипятилетия. К сожалению, война помешала нам разыскать вас. Вообразите нашу радость, когда мы узнали, что вы живы и вернулись в Каса дель Соль.

— Я об этом абсолютно ничего не знал, мистер Нанн. Мне нужно несколько минут, чтобы осмыслить то, что вы мне сообщили.

Кивнув, мистер Нанн откинулся на спинку стула и сложил руки на круглом животе.

— Могу себе представить, что это явилось для вас потрясением.

— Вы что-то говорили о моем отце.

— Мой единственный контакт с доном Рейнальдо Винсенте был связан с банковским чеком на солидную сумму, выданным согласно его завещанию вместе с подробными инструкциями. Ни при каких обстоятельствах деньги не следовало переводить в конфедератскую валюту. — Мистер Нанн улыбнулся. — Если бы мы обладали предусмотрительностью вашего отца... Ну, по крайней мере, вы и ваша сестра будете пользоваться плодами его мудрости.

— О какой именно сумме мы говорим, мистер Нанн?

Нотариус пошарил в кожаном портфеле и вынул несколько бумаг.

— Если хотите, я прочитаю завещание или просто сообщу его содержание, предоставив вам на досуге читать его в свое удовольствие.

— Просто скажите, что там говорится.

— Ваша доля составляет... — Нанн откашлялся, — ...три миллиона пятьсот тысяч долларов плюс несколько центов. И, конечно, вы наследуете Каса дель Соль со всеми землями и строениями. Ваша сестра получает плантацию ее дедушки и бабушки возле Атланты в штате Джорджия, а также годовой доход в десять тысяч долларов. К сожалению, я не знаю, в каком состоянии плантация. Боюсь, что большинство плантаций вблизи Атланты практически уничтожены.

Ноубл ошеломленно уставился на него. Он хорошо помнил большой помещичий дом с белыми колоннами среди зеленых холмов. Неужели он разрушен? Нужно срочно узнать, все ли в порядке с Сабер!

— Вы связывались с моей сестрой?

— Да, сэр. Она гостит у... — Нанн порылся в бумагах. — Вот! Мисс Винсенте сейчас проживает у своей двоюродной бабушки в Саванне, штат Джорджия. Ваш отец хотел, чтобы мы знали, где искать вашу сестру в том случае, если...

— Если меня убьют на войне?

Мистер Нанн печально кивнул:

— Вы состоятельный человек, мистер Винсенте. Вам и вашей сестре нечего беспокоиться о деньгах. Могу добавить, что ваш отец предоставил вам опеку над сестрой, покуда она не достигнет совершеннолетия или не выйдет замуж.

Ноублу казалось, будто родители протягивают из могилы руку помощи ему и его сестре. Еще совсем недавно он был на грани отчаяния, а сейчас мог позаботиться о своих вакерос и их семьях. Теперь Каса дель Соль вернется к жизни!

Ноубл не сразу осознал, что нотариус продолжает говорить.

— Прошу прощения, мистер Нанн, что вы сказали?

— Я спросил, хотите ли вы, чтобы я перевел для вас деньги в местный банк.

— Нет. Я хочу, чтобы вы перевели какую-то часть денег в банк Форт-Уорта, но основной капитал пусть остается в Новом Орлеане. Если мои родители доверяли вам, то и у меня нет причин этого не делать.

Мистер Нанн удовлетворенно кивнул.

— Я взял на себя смелость привезти пять тысяч наличными, зная, что вы можете в них нуждаться.

Ноубл улыбнулся:

— Кажется, вы подумали обо всем.

— Это моя профессия, мистер Винсенте. Если вы позволите нам продолжать вести ваши дела, мы будем служить вам так же преданно, как служили вашим родителям.

Ноубл встал и протянул руку:

— Я буду пользоваться услугами только вашей фирмы.

Джордж Нанн быстро поднялся и горячо пожал руку Ноублу.

— Перед отъездом я дам вам на подпись соответствующие документы. Иметь дело с вашей семьей всегда было очень приятно, и я с нетерпением ожидаю наших дальнейших контактов.

— Мы с сестрой у вас в долгу, — сказал Ноубл. — Спасибо, что взяли на себя труд приехать в Техас, мистер Нанн. Надеюсь, это не причинило вам неудобств.

Пожилой джентльмен улыбнулся:

— Вовсе нет. Вы и ваша сестра — самые важные клиенты моей фирмы, и я очень хотел познакомиться с вами лично. — Он вытер платком вспотевший лоб. — Я всегда мечтал увидеть Техас, но никто не предупреждал меня, что здесь так жарко.

— Сейчас засуха. Надеюсь, в следующий раз вы посетите нас, когда природа будет не так скупа на свои дары. — Ноублу понравился нотариус — он почему-то сразу почувствовал к нему безграничное доверие. — А в остальном Техас оправдал ваши ожидания?

— О да — и более того! Вы не возражаете, если я немного посмотрю окрестности?

— Вы мой гость и можете оставаться в Каса дель Соль сколько пожелаете.

— Если позволите, я воспользуюсь вашим гостеприимством на ночь, — в глазах нотариуса мелькнуло сожаление. — К несчастью, завтра я должен возвращаться в Новый Орлеан. — Он окинул взглядом библиотеку. — У вас тут великолепно.

— Было когда-то, — вздохнул Ноубл.

— И будет снова, мой мальчик! — Было видно, что мистер Нанн смущен таким нарушением этикета, но он быстро поправился: — Вы добьетесь этого, мистер Винсенте.

Ноубл посмотрел в окно, где один из вакерос приколачивал расшатавшуюся доску к двери конюшни. Слава богу, больше им не придется прибивать гнилое дерево ржавыми гвоздями. Как сказочный Феникс, Каса дель Соль восстанет из пепла!

12.

Несмотря на раннее утро, жара была изнурительной. Ноубл распахнул настежь двери конюшни, чтобы воздух внутри хоть как-то циркулировал. Впрочем, ему казалось, что лошади не так страдают от жары, как люди.

После визита мистера Нанна на прошлой неделе Каса дель Соль преобразилась. Вакерос было больше незачем исполнять обязанности ремонтных рабочих, так как Ноубл нанял профессиональных плотников и каменщиков. Конюшня сверкала свежим слоем краски, корали уже не выглядели покосившимися, а над воротами красовалась новая вывеска.

Ноубл вошел в стойло и стал чистить скребницей кобылу-трехлетку, ожидавшую возвращения Сабер. Он был так поглощен своим занятием, что не заметил появления посетительницы.

— Привет, Ноубл!

Он хорошо помнил этот голос и знал, что визит его обладательницы не предвещает ничего хорошего. Отложив скребницу, Ноубл обернулся. Делия мало изменилась — возможно, во внешности и поведении стало больше лоска, но лицо оставалось таким же красивым, а фигура такой же стройной. Удушающий аромат ее духов напоминал запах роз в саду в жаркий день. А Рейчел пахла чистотой и свежестью, как весеннее утро... Почему сестры могут быть такими разными?

— Здравствуй, Делия. Или мне следует называть тебя миссис Чандлер?

— Можешь называть меня по-прежнему, — ответила она, сжимая в руке голубой зонтик под цвет платья. — Мы ведь с тобой старые друзья, верно, Ноубл?

— Не думал, что я когда-нибудь увижу тебя в Каса дель Соль. — Он снова повернулся к кобыле. — Ты извинишь меня, если я буду работать, пока мы разговариваем?

Делия нахмурилась.

— Ты не слишком изменился, — заметила она, подойдя ближе.

Ноубл пожал плечами:

— В отличие от тебя.

— Джентльмен не должен указывать леди на ее недостатки.

— Ты изменилась к лучшему, — пояснил он. — Стряхнула пыль ранчо и приобрела городской лоск.

Делия невольно следила за ритмичными движениями скребницы.

— Я узнала, что моя сестра здесь, но Алехандро сказал, что она уже поправилась и уехала домой.

— Да. Я ожидал, что ты приедешь раньше, когда твоя сестра в тебе нуждалась.

— Я собиралась приехать, но меня задержали.

— Понимаю, — мрачно усмехнулся Ноубл.

— Ничего ты не понимаешь! — с тоской произнесла Делия. — Но это не имеет значения.

Ноубл бросил скребницу в ведро и повернулся к ней:

— Твоя сестра уехала неделю назад.

Делия пожирала его глазами. Он все еще был самым красивым мужчиной из всех, кого она когда-либо видела. Безупречно правильные черты лица, крепкая, стройная фигура, длинные ноги, широкие плечи... От него исходило ощущение опасности, но это только сильнее притягивало ее.

— Что я могу сделать для тебя, Делия? — холодно осведомился Ноубл.

— И это единственное приветствие, на которое я могу рассчитывать?

— А чего ты от меня ожидала?

— Ничего. Я... я просто хотела сказать, что мне жаль...

— Ты уже говорила это раньше. — Его голос был абсолютно бесстрастным — в нем не слышалось даже элементарной вежливости. — Так что можешь возвращаться домой.

Делия протянула к нему руку, но тут же опустила ее.

— Ты когда-нибудь простишь меня, Ноубл?

Он смотрел на нее невидящим взглядом.

— Я давно простил тебя, Делия. Интересно, простишь ли ты когда-нибудь себя?

Хотя ее переполнял стыд, она не могла отвести от него глаза.

— Не знаю, смогу ли я это сделать, Нуобл. Между нашими семьями столько произошло. Того, что было, уже не вернуть.

— Забудь о прошлом, Делия, лучше думай о будущем. — Его голос немного смягчился. — Ты замужем и, насколько я понимаю, в один прекрасный день сможешь стать первой леди Техаса.

Она коснулась его руки:

— Как дела у Рейчел?

— Думаю, ей нужно время, чтобы выздороветь окончательно. Но у нее сильная воля. Чтобы обескуражить Зеленые Глаза, требуется нечто большее, чем пуля.

— Ты... ты восхищаешься ею?

— Да.

Делия раскрыла зонтик и повертела его, чтобы чем-нибудь занять руки.

— Ты знаешь, кто стрелял в нее и почему?

— Мне кажется, что тот, кто стрелял в Рейчел, метил в меня и попал в нее по ошибке.

Делия нахмурилась:

— Значит, ты был с ней, когда ее ранили? Я этого не знала. Что именно там произошло?

— Почему бы тебе не спросить об этом ее? А теперь прости, но я должен работать.

Ноубл отошел к стойлу. Делия смотрела ему вслед. Его холодность проникала ей в самое сердце, внутри у нее все ныло от тоски, но она понимала, что если бы он не был джентльменом, то вышвырнул бы ее с ранчо.

* * *

Прибыв в «Сломанную шпору», Делия сразу же приказала одному из ковбоев отнести наверх ее чемодан. Потом она сняла капор, стала приводить в порядок волосы и не услышала, как сзади к ней подошла Уинна Мей.

— Вот и ты наконец!

Вздрогнув, Делия обернулась.

— Ты подкрадываешься незаметно, как настоящая индеанка. Неужели обязательно пугать меня до смерти? — Ее взгляд брезгливо скользнул по покрытым шрамами, натруженным рукам экономки. — Мне не нравится, что ты крадешься по углам.

Выражение лица Уинны Мей не изменилось.

— На этот раз ты останешься надолго?

Между Делией и экономкой всегда существовал антагонизм — во всяком случае, со стороны Делии. Она считала, что Уинна Мей втерлась в доверие семьи и распоряжается в доме, как в своем собственном.

— Это зависит от того, сколько времени моя сестра будет во мне нуждаться, — высокомерно заявила Делия.

— Рейчел быстро поправляется. — Уинна Мей кивнула в сторону лестницы. — Сейчас она отдыхает.

Делия направилась к лестнице, но экономка преградила ей дорогу:

— Дай ей отдохнуть. Она еще не совсем здорова.

— Занимайся своими делами, а я сама позабочусь о своей сестре.

— Если тебя действительно волнует ее здоровье, ты позволишь ей отдохнуть.

Делия вздохнула, понимая, что Уинна Мей права.

— Я поднимусь в свою комнату и надену что-нибудь полегче — если ты, конечно, не возражаешь.

Не сказав ни слова, экономка бесшумно скрылась за дверью.

Делия стиснула зубы. Она не могла понять, почему Рейчел позволяет этой женщине оставаться на ранчо. Если бы это зависело от нее, Уинны Мей здесь уже давно бы не было!

Поднявшись в свою комнату, Делия сняла пыльную одежду и облачилась в цветастое ситцевое платье. Стянув волосы на затылке, она легла на кровать, думая о встрече с Ноублом. Уит говорил ей, что Ноубл потерял все, кроме Каса дель Соль, но гасиенда вовсе не казалась пришедшей в упадок. Если бы Уит добился своего, то и Каса дель Соль, и «Сломанная шпора» теперь принадлежали бы ему и он мог бы контролировать весь западный участок реки Брасос. Но Делия не хотела, чтобы Ноубл лишился Каса дель Соль. Она и так отобрала у него слишком много.

Услышав голос Рейчел в соседней комнате, Делия встала с кровати и пошла к ней. С первого же взгляда она заметила происшедшие в ее сестре перемены. Рейчел откинулась на подушку, рыжевато-золотистые локоны обрамляли ее лицо. Обычно загорелая от постоянного пребывания на солнце, теперь она выглядела бледной, а в глазах ее застыла печаль. Тем не менее она казалась Делии ослепительно красивой.

Рейчел улыбнулась с искренней радостью:

— Как чудесно, что ты приехала, Делия!

На сердце у Делии потеплело. Впервые в жизни она почувствовала, что Рейчел по-настоящему ее любит.

— Я приехала, как только смогла. — Делия коснулась лба сестры — жара не было. — Как ты?

Рейчел пожала плечами, поморщившись от боли.

— Теперь лучше, раз ты здесь. Мне тошно торчать в этой комнате, но доктор говорит, что я не могу вставать еще неделю. Ты по крайней мере сможешь меня развлечь.

— Играй в покер?

Рейчел кивнула и взяла Делию за руку.

— Как в старые времена. Ты будешь строгой старшей сестрой, а я — кроткой и послушной младшей.

Обе засмеялись. Трудно было представить Рейчел кроткой и послушной.

— Рейчел, ты родилась, твердо зная, чего хочешь, и хваталась за это обеими руками. А я шарила вокруг наугад и никак не могла найти то, что мне нужно.

Взгляд Рейчел омрачился.

— Теперь я уже не знаю, чего хочу, Делия.

— Я побывала в Каса дель Соль перед приездом сюда.

— Ты говорила с Ноублом?

Делия кивнула:

— Как я поняла, он был с тобой, когда тебя ранили?

— Ноубл рассказал тебе, что произошло?

— Нет. Он сказал, чтобы я спросила у тебя.

Рейчел помолчала, прежде чем ответить.

— О том, что случилось в тот день, знают только трое — я, Ноубл и тот, кто подстрелил меня. Ноубл чересчур джентльмен, чтобы говорить об этом, я тоже не собираюсь ничего рассказывать, а стрелявший будет помалкивать, чтобы не выдать себя.

— Ты, по крайней мере, сообщила шерифу?

— Нет.

— Ты с ума сошла! Нужно было сообщить, чтобы он начал поиски этого человека. Тот, кто ранил тебя, должен за это ответить!

Рейчел покачала головой:

— Думаю, мы никогда не узнаем, кто это сделал.

Делия посмотрела в глаза сестре.

— Ноубл считает, что тебя ранили по ошибке и что пуля предназначалась для него.

— Помнишь, папа всегда говорил, что тех, кто слишком приближается к Винсенте, сметает буря?

Рейчел покраснела, и Делия поняла, что ее сестра покорена чарами представителя семьи Винсенте.

— И как же близко ты находилась от Ноубла, когда тебя ранили?

Рейчел отвернулась, и Делия едва услышала ответ:

— Слишком близко...

13.

— Ты когда-нибудь перестанешь хлопотать надо мной, Делия? — раздраженно осведомилась Рейчел, утомленная постоянной заботой сестры. Она бы предпочла очередные попытки убедить ее продать «Сломанную шпору» этой внезапной материнской опеке, способной довести до безумия. Нервы Рейчел были на пределе, ей не давали покоя мысли о Ноубле, но присутствие сестры мешало ей сосредоточиться. После завтрака Делия поднялась вместе с ней в спальню и, судя по всему, не собиралась уходить.

— Отправляйся домой и приставай к Уиту! Я выздоровела. Рана уже не болит. — Дабы продемонстрировать это, она согнула руку в локте и повела плечом. — Возвращайся в Остин. Уинна Мей присмотрит за мной.

Но эта вспышка не испугала Делию.

— Я не собираюсь уезжать, пока доктор Стэнхоуп не скажет мне, что с тобой все в порядке. — Она прошлась по комнате, поправила картину, разгладила занавески и второй раз за день переставила безделушки на туалетном столике Рейчел.

— Пожалуйста, Делия, оставь меня в покое! Я достаточно окрепла, чтобы ездить верхом. Вчера я даже заарканила теленка. Я больше не нуждаюсь в твоем уходе.

Делия поправила покрывало на кровати и начала взбивать подушки.

— Я и не подозревала, как много ты для меня значишь, пока не испугалась, что могу потерять тебя, — отозвалась она.

Сердце Рейчел смягчилось. Она крепко обняла сестру.

— Я очень тебе благодарна за твою заботу. Но теперь я здорова. Ты можешь ехать домой. Уит наверняка истосковался по тебе.

Делия нервным жестом повернула на пальце обручальное кольцо.

— Я не успела рассказать... Утром я получила письмо от Уита. Он будет здесь завтра.

Рейчел закатила глаза. Приезд Уита в «Сломанную шпору» ее отнюдь не радовал.

— Подумать только — наша маленькая любящая семья соберется под одной крышей!

— Тебе не нравится Уит, верно? — спросила Делия. — Ты никогда не спрашиваешь о нем, не приглашаешь его приехать...

Рейчел задумалась над словами сестры. Уит родился в бедной семье, а теперь его друзья принадлежат к элите техасского общества. Он сам всего добился. Ей всегда было не по себе в его компании, хотя она сама не могла объяснить, почему. Впрочем, Уит хорошо обращается с ее сестрой, а это самое главное.

— Не то чтобы он мне не нравился, — уклончиво ответила Рейчел. — Но ты сама говорила, что не любишь его.

— По-твоему, он должен был пойти воевать? — неожиданно спросила Делия. Казалось, она вот-вот заплачет. — Ты считаешь его трусом, не так ли?

Рейчел поняла, что ее сестра выражает собственные чувства к Уиту.

— Каждый мужчина делал то, что считал правильным для себя.

— Но большинство мужчин, которых мы знали, сражались на войне.

— И большинство из них не вернулись домой, — напомнила Рейчел.

Она чувствовала, что с Делией что-то не так,

но не понимала, в чем дело, и решила переменить тему:

— Если Уит едет сюда в надежде уговорить меня продать ранчо, то он мог бы избавить себя от лишних хлопот. Я не передумала и не передумаю никогда.

— Он пишет, что хочет посетить праздник урожая и пообщаться с народом. — Делия открыла шкаф, посмотрела на платья сестры и поморщилась: — Ни одно из этих платьев не подойдет для праздника. Когда ты в последний раз покупала себе новое платье и вообще обновляла свой гардероб?

— Не помню. — Рейчел снова заговорила о зяте: — Чего ради Уит решил посетить праздник? Раньше его никогда не интересовали наши скромные развлечения.

— Глупая сестричка! Уит приезжает как будущий кандидат завоевывать голоса. — Делия провела рукой по выцветшему ситцевому платью Рейчел. — Нет, свояченица будущего губернатора должна одеваться совсем по-другому!

Рейчел решительно закрыла шкаф и направилась к двери.

— Если хочешь знать, я уже несколько месяцев назад заказала материал для платья. Сегодня я собираюсь в город к портнихе. Могу тебя заверить, что ни тебе, ни Уиту не будет стыдно за мой наряд в праздничный вечер.

— Я поеду в город с тобой, — заявила Делия. — Ты не можешь ехать одна.

— Не волнуйся. Зеб отвезет меня в фургоне.

К удивлению Рейчел, Делия не стала настаивать. Возможно, она понимала, что не имеет ничего общего с жителями Таскоса-Спрингс.

— Выбери фасон получше, Рейчел. Ты никогда в этом не разбиралась.

Рейчел надела шляпу:

— Посмотрим, что ты скажешь, когда увидишь мое платье!

Она сбежала по ступенькам и вышла через парадную дверь, боясь, что Делия передумает и решит ехать с ней. Только усевшись в фургон Зеба, она почувствовала, что наконец-то свободна.

Таскоса-Спрингс

Двое мужчин, стоя у салуна «Кристал Палас», угрюмо наблюдали, как Ноубл въезжает в город. Двери салуна распахнулись, и к ним присоединился помощник шерифа.

— Смотрите-ка — это же Ноубл Винсенте! — заговорил Харви Брискал. — Этот ублюдок приезжает сюда как ни в чем не бывало. Наверное, думает, что мы просто грязь под его сапогами!

Один из мужчин, который пил все утро, повысил голос, чтобы его услышал Ноубл:

— Его нужно вышвырнуть из города! Убивать его — слишком много чести!

Не подавая виду, что он слышал эти слова, Ноубл подъехал к банку и остановил лошадь.

— Кто-то должен сообщить Ноублу Винсенте, что ему здесь не рады, — сказал Харви, подстрекая собеседников. Сам он боялся связываться с Ноублом.

— Подойди и арестуй его, — предложил Боб Фостер.

— Не могу. Шериф не позволит, — отозвался Харви. — Ноубл Винсенте слишком важная шишка, чтобы его трогать. Вот он и появляется здесь, словно никогда никого не убивал.

К ним подошел бродяга, околачивающийся в городе несколько недель, и устремил мутный взгляд на Ноубла, положив руку на рукоятку револьвера.

— А ты уверен, что это Ноубл Винсенте?

— Конечно, уверен, — мрачно ответил Харви, внимательно посмотрев на здорового парня с грубой физиономией, широкими плечами и близко посаженными, налитыми кровью глазами. — А ты что, ищешь Ноубла Винсенте? Зачем он тебе?

— Он мне не нужен, но я много чего о нем слышал. — Бродяга прищурил маленькие глазки и ухмыльнулся. — Если бы кто-нибудь поставил мне выпивку, я мог бы избавить вас от сеньора Винсенте.

Харви огляделся, проверяя, нет ли поблизости шерифа Гриншо. Но шериф утром уехал на какое-то ранчо и, по-видимому, еще не вернулся. Взгляд Харви скользнул по волосатым ручищам парня, явно способным с легкостью отправить человека на тот свет, и по шести зарубкам на стертой рукоятке револьвера.

— Как тебя зовут?

— Ты спрашиваешь как законник или как друг?

— Не беспокойся из-за моей звезды. Вижу, что

Ноубл нравится тебе не больше, чем мне. Значит, мы на одной стороне.

— Меня зовут Ред.

— А фамилия?

— Просто Ред.

— Ну, Ред, я готов поставить тебе целую бутылку, если ты как следует отделаешь мистера Винсенте.

Зловеще усмехнувшись, Ред подошел к своей лошади и снял с седла аркан.

— Ставь бутылку на стойку. Я скоро зайду за ней.

* * *

Ноубл еще не успел спешиться, когда ему на голову молниеносно накинули петлю. Не давая ему опомниться, Ред затянул веревку у него на шее и стащил его на землю.

— Что это ты задумал, черт побери?! — процедил сквозь зубы Ноубл. Быстро поднявшись, он повернулся и ударил противника кулаком в живот, заставив его согнуться от боли.

— Он сильнее, чем я думал! — крикнул Ред. — Помогите мне, если вы не жалкие трусы!

Харви Брискал и Боб Фостер не нуждались в дальнейших поощрениях. Боб выхватил револьвер, а Харви схватил стоящую у стены лопату и подкрался к Ноублу сзади. Собралась толпа, подбадривая нападающих криками. Харви огрел Ноубла лопатой по голове, тот упал на колени, и Ред туже затянул веревку.

У Ноубла потемнело в глазах. Он с трудом боролся с мраком, угрожающим поглотить его.

Между тем Ред начал хлестать его концом веревки, как хлыстом. На щеке Ноубла появился алый порез, белая рубашка окропилась кровью. Ноубл пытался встать, но веревка душила его. Боб ударил его ногой в живот, а Ред, зверея от запаха крови, продолжал орудовать веревкой. Наконец он вскочил на лошадь и прикрепил к седлу конец веревки.

Ноубл понимал: если этот человек пустит лошадь вскачь, волоча его за собой по пыльной улице, ему несдобровать. Он вцепился в веревку, поднимая повыше голову, чтобы не задохнуться.

Толпа умолкла, Боб и Харви на всякий случай отошли подальше. Никто еще не осмеливался обращаться подобным образом с кем-то из Винсенте. Матери закрывали детям глаза, чтобы оградить их от жестокого зрелища, а некоторые мужчины смотрели на происходящее с нескрываемым отвращением. Но никто не пришел на помощь Ноублу.

— Вы уже не такая важная шишка, а, мистер Винсенте? — ухмыльнулся Ред.

Тьма застилала глаза Ноублу, боль пронзала его тело, как сотня кинжалов. Он не знал, что за человек напал на него, но подозревал, что его кто-то нанял. Не тот ли, кто ранил Рейчел?..

Ред хлестнул лошадь. Веревка сдавила горло Ноубла. Он задыхался, понимая, что помощи ждать неоткуда.

14.

Внезапно грянул выстрел, и девушка с ружьем в руке отважно шагнула навстречу Реду. Лошадь, испугавшись, встала на дыбы, а девушка направила ружье на всадника.

— Осадите вашу лошадь, мистер, если хотите дожить до завтра!

Посмотрев на девушку, Ред быстро принял решение. Ружье было нацелено прямо в сердце, и даже женщина не могла бы промазать на таком близком расстоянии.

— Леди, — обратился он к ней, — если вы отойдете в сторону и пропустите меня, я потом куплю вам чего-нибудь выпить и мы сможем познакомиться поближе.

— Слезьте с лошади и освободите мистера Винсенте! — спокойно приказала Рейчел, сдерживая клокотавший в ней гнев. — Я не трачу времени на трусов вроде вас.

— Прочь с дороги, девчонка! — рявкнул Ред. — Не то я прихлопну тебя, как назойливую муху!

Рейчел взвела курок.

— Не знаю, кто вы, мистер, и вы не знаете, кто я, но можете мне поверить: я никогда не целюсь в то, во что не могу попасть. А вы слишком крупная мишень, чтобы промазать.

Ред расхохотался, запрокинув голову.

— Скажи-ка, чего ради я должен бояться маленькую леди в мужских брюках и с мужским оружием?

— А вы скажите мне, мистер, знали ли вы,

проснувшись этим утром, что вам предстоит сегодня умереть?

Глядя в решительные зеленые глаза девушки, Ред почувствовал, что по спине у него забегали мурашки.

— Какое вам дело, если этот человек получит то, что заслужил?

Он оглянулся на Харви и Боба в расчете на их помощь, и Рейчел проследила за его взглядом.

— Просто мне не нравятся неравные шансы, — холодно ответила она и повернулась к помощнику шерифа: — Скажите этому человеку, что я без колебаний застрелю его, если он не сделает то, что я ему велела. Если он не верит мне, то, может быть, поверит вам.

— Лучше делай, что она говорит, Ред, — предупредил его Боб Фостер. — Отпусти Винсенте, не то она прикончит тебя, не моргнув глазом.

С угрюмым видом Ред спешился и грубо сорвал петлю с шеи Ноубла.

— Этот парень не скоро забудет, что связался со мной!

Рейчел встала между ним и Ноублом.

— Лучше молитесь, чтобы он об этом забыл. На вашем месте я бы теперь спала, держа один глаз открытым. Ноубл до вас доберется — не сегодня, так завтра!

Ред, споткнувшись, шагнул назад:

— Я не боюсь ни его, ни кого другого!

Рейчел снова подняла ружье.

— Если у вас есть хоть капля ума — в чем я сомневаюсь, — вы не станете задерживаться в Таскоса-Спрингс. Можете считать себя мертвецом, если намерены здесь околачиваться.

Ред сделал еще несколько шагов назад.

— Пусть делает что хочет. Я не бегаю от таких, как он.

Рейчел посмотрела ему в глаза и увидела в них страх. Она поняла, что его не будет в Таскоса-Спрингс задолго до захода солнца.

— Кто-нибудь пусть сходит за доктором!

Рейчел села на землю и положила голову Ноубла себе на колени. Его лицо и рубашка были в крови. Рейчел не могла определить, насколько серьезно пострадал Ноубл, но она понимала, что дело плохо, раз он до сих пор не поднялся.

Ноубл открыл глаза и попытался улыбнуться, но улыбка быстро превратилась в гримасу боли.

— Прости, что не встаю. — Он закусил нижнюю губу, когда Рейчел приложила к его окровавленному лицу свой шейный платок. — Впрочем, мне и здесь хорошо.

— Вот и лежи спокойно. Сейчас придет доктор, и все будет в порядке.

Ноубл шевельнулся и застонал от боли.

— Ты наверняка наслаждалась моим сегодняшним унижением, Рейчел...

— С чего ты это взял? Мне не нравятся громилы, которые нападают скопом на одного. И я никогда не наслаждаюсь ничьим унижением — даже твоим. — Она огляделась вокруг и повысила голос, чтобы ее слышала собравшаяся толпа: — Никто из вас, жалкие трусы, не выстоял бы против Ноубла лицом к лицу! Вам пришлось напасть на него сзади.

Ноубл снова попробовал встать, но Рейчел удержала его.

— Не знал, что ты обо мне такого высокого мнения, — пробормотал он.

Рейчел сердито посмотрела на него:

— Вовсе нет. Просто мы теперь в расчете. Больше я тебе ничем не обязана.

— Это верно. — Ноубл стиснул зубы от пронизывающей боли и с трудом перевел дыхание. — Но я все еще в долгу у тебя, Зеленые Глаза.

— Ты мне ничего не должен.

— Я должен узнать, кто убил твоего отца.

— Его убил ты.

— Ты отлично знаешь, что это не так. Просто ты не можешь признать свою ошибку. — Ему наконец удалось улыбнуться. — А еще ты не можешь признать, что я тебе нравлюсь.

Ноубл подобрался слишком близко к истине, и Рейчел нахмурилась.

— Просто я не могу тебя ненавидеть. Ты оказался достойным противником.

На окровавленном лице Ноубла мелькнула усмешка.

— И долго мне еще оставаться в таком положении?

— Лежи и не двигайся, пока не прибудет помощь.

В этот момент появился доктор Стэнхоуп. Склонившись над Ноублом, он ощупал ему ребра и, не обнаружив переломов, попросил нескольких мужчин помочь отвести Ноубла к нему в кабинет.

Ноубл настаивал, что может идти сам, но первый же шаг убедил его в обратном, и он тяжело оперся на плечо доктора, чтобы не упасть.

Рейчел посмотрела, как трое мужчин помогают Ноублу, и не оглядываясь двинулась прочь. Внезапно она услышала стук копыт за спиной и вовремя шагнула в сторону, чтобы не угодить под лошадь Реда. Он мчался так быстро, словно его гнал из города сам дьявол.

* * *

Толпа еще не успела разойтись, когда шериф Гриншо вернулся в Таскоса-Спрингс. Когда он услышал о происшедшем, то приказал Харви:

— Отдай мне звезду и револьвер!

— Чего ради? Если бы это был кто-то другой, а не этот испанский ублюдок, ты бы внимания не обратил...

— Твою звезду!

Харви бросил звезду в грязь и наступил на нее ногой.

— К черту тебя и этот город!

— Пока, Харви.

— Ты еще услышишь обо мне, шериф! — Все знают, что ты покрываешь убийцу. А этот подонок думает, что может перешагивать через нас, словно мы ничто!

Шериф прищурился, глядя на солнце:

— Ты и есть ничто, Харви. Я не трачу времени на трусливых шавок, вроде вас троих.

Харви поплелся прочь, дрожа от злобы. Когда-то ему очень нравилась Рейчел Ратлидж, но теперь эта женщина стала причиной его унижения. И рано или поздно она заплатит за все.

* * *

Кабинет доктора Стэнхоупа был маленьким, но хорошо оборудованным. Пузырьки, баночки, бинты и ножницы заполняли полки вдоль стен. Ноубла усадили на кушетку, и доктор Стэнхоуп осмотрел его голову.

— Здоровая шишка! Будет болеть несколько дней.

Вошел шериф Гриншо и тоже посмотрел на голову Ноубла.

— Кто-то сказал, что тебя ударили лопатой. Бьюсь об заклад, боль адская.

— Интересно, где вы были? — сердито осведомился Ноубл. — Я несколько раз пытался повидаться с вами, но вас невозможно застать в городе. — Он прислонился к стене, внезапно ощутив слабость. Все его тело болело.

Айра Гриншо пожал плечами:

— С тех пор как янки управляют Техасом, они учат нас своим законам.

Ноубл поморщился, когда доктор смазал рану на его щеке.

— Могу себе представить, — сказал он. — Некоторые из их законов я ощутил на себе в Геттисберге.

Гриншо улыбнулся:

— Я рад, что твой отец не дожил до того дня, когда трое кретинов смогли справиться с его сыном. Один с лопатой, другой с веревкой, а третий... Чем был вооружен Боб? — Он рассмеялся, видя, как нахмурился Ноубл. — Что-то ты больно расслабился — очевидно, вел слишком легкую жизнь.

— Они застигли меня врасплох, — оправды-
вался Ноубл.

— Все равно, твоему отцу это бы не понравилось. Мне сказали, что тот рыжий парень набро-
сился на тебя, как бык. Не могу поверить, что ты
не слышал его приближения.

— Верно. — Ноубл снова скрипнул зубами от
боли. — Мне и самому стыдно.

— Почему ты хотел меня видеть? — спросил
Айра Гриншо.

— Чтобы узнать, как идут поиски убийцы
Сэма Ратлиджа. У вас было достаточно времени,
чтобы узнать, кто мог желать его смерти.

Айра сунул пальцы за пояс, раскачиваясь взад-
вперед на каблуках.

— Некоторые говорят, что это твоих рук дело.

— Мы оба знаем, что это не так.

Шериф стал серьезным.

— Сомневаюсь, что это преступление когда-
нибудь раскроют. Прошло слишком много времени, и у нас не было ни одной зацепки.

Доктор Стэнхоуп обернулся к Айре Гриншо:

— Можете поговорить с ним, когда я закончу.
Но сейчас он мой пациент и нуждается в срочном
лечении.

— Приходи потом в мою контору, Ноубл. Хотя
мне нечего добавить к тому, что я уже сказал. —
Он широко улыбнулся. — Я рад твоему возвращению. Некоторым из нас тебя недоставало.

Шериф вышел из кабинета.

Доктор Стэнхоуп разорвал рубашку Ноубла и
осмотрел следы веревки на шее и спине.

— Надеюсь, ты будешь повнимательнее, когда в следующий раз приедешь в город.

— Постараюсь.

— Ты должен быть осторожным, Ноубл. У тебя слишком много врагов.

— И вы один из них?

— Я всего лишь врач и должен лечить как достойных, так и недостойных.

— Ну, и что это означает?

Доктор Стэнхоуп стал смазывать царапины на спине Ноубла, снова заставив его заскрипеть зубами.

— Ты — достойный, — ответил он, закрывая баночку с мазью. — Твой отец много лет был моим другом, я считаю своим другом и его сына.

Доктор опять ощупал ему ребра, и Ноубл застонал от нестерпимой боли.

— Если так вы обращаетесь с друзьями, не хотел бы я быть вашим врагом!

Старик похлопал его по руке:

— У тебя полно ушибов и порезов, но нет переломов. Несколько дней боль будет очень сильной — особенно по утрам, когда поднимаешься с постели. Могу дать тебе обезболивающее.

— Нет, спасибо. У меня дома есть бутылка хорошего бренди — это единственное лекарство, которое мне нужно.

Доктор Стэнхоуп взял Ноубла за подбородок, внимательно осмотрел его лицо и улыбнулся:

— Порезы неглубокие. Вряд ли девушкам стоит опасаться, что твое хорошенькое личико навсегда будет покрыто шрамами.

Ноубл взял мятую ковбойку, которую предложил ему доктор, так как его рубашка превратилась в окровавленные лохмотья.

— Знаете, док, что́ причиняет мне самую сильную боль? То, что никто из моих противников не нуждается в ваших услугах.

Доктор Стэнхоуп улыбнулся, но сразу стал серьезным.

— Будь осторожен, мой мальчик. Сегодняшний инцидент не был случайным. Кто-то хочет отправить тебя на тот свет. Он попытался уже дважды и может попробовать еще раз.

* * *

Рейчел вошла в лавку Мак-Ви, все еще кипя от гнева.

— Скажите, Джесс, почему вы не попытались помочь Ноублу? — Она посмотрела на миссис Мак-Ви — худощавую, похожую на птицу женщину с маленьким ртом и круглыми черными глазами. — А вы, миссис Мак-Ви, почему не вмешались?

— Мы считаем, что Ноубл это заслужил, — ответил Джесс, не глядя на Рейчел.

— По-моему, Рейчел, ты вела себя недостойно, — заявила миссис Мак-Ви. — Вмешалась в уличную драку! Что бы сказал твой отец, если бы увидел тебя сегодня?

Рейчел снова повернулась к Джессу:

— Скажите, что вы знаете о смерти вашего сына, мистер Мак-Ви?

— Что? — Он выглядел озадаченным. — Почему тебя вдруг это заинтересовало?

— Скажите, что вам известно о смерти Джесси, — настаивала Рейчел.

— Как ты можешь говорить с нами об этом?! — вмешалась миссис Мак-Ви. — Неужели ты не понимаешь, что это для нас мучительно?

— У меня есть важная причина спрашивать об этом. Расскажите о гибели вашего сына, Джесс.

Казалось, лавочник постарел у нее на глазах.

— Что ж, могу и рассказать. — Его голос дрогнул. — Мы получили письмо от командира Джесси, где говорилось о его последних часах. Нашего сына не бросили умирать в одиночестве — один офицер из округа Мадрагон оставался с ним всю ночь, стараясь облегчить его муки.

— Вы знаете, кто был этот человек?

— Нет, мы так и не узнали его имени. Я бы хотел выразить ему благодарность за то, что он сделал для Джесси. Но думаю, он тоже погиб. Если так, то, надеюсь, нашелся человек, который провел с ним его последние часы.

— А если бы человек, который провел ночь с вашим умирающим сыном, нуждался в вашей помощи, вы бы помогли ему?

Слезы потекли по бледным щекам миссис Мак-Ви.

— Как ты можешь об этом спрашивать? Конечно, помогли бы! Мы бы любили его, как сына.

Рейчел смотрела на Мэри и Джесса Мак-Ви и удивлялась, что не испытывает к ним жалости. Возможно, она стала слишком черствой, но ее просто тошнило от благочестивых ханжей, которые проповедовали одно, а делали совсем другое.

— Сегодня, — заговорила Рейчел, — у вас был

шанс помочь человеку, который оставался с вашим сыном в его последние часы. Но вы смотрели вместе с остальными, как эти трусливые псы расправляются с ним. Интересно, что бы подумал о вас Джесси, если бы мог это видеть? Ноубл Винсенте — тот самый офицер, который заботился о вашем сыне до самой его кончины.

Губы миссис Мак-Ви дрогнули, она прижала руку ко рту. Мистер Мак-Ви покраснел и опустился на стул. Некоторое время царило молчание, нарушаемое только судорожными вздохами миссис Мак-Ви. Рейчел резко повернулась и распахнула дверь с такой силой, что колокольчик еще звенел, когда она была на полпути к кузнице.

Зеб нагружал фургон. Он посмотрел на Рейчел и усмехнулся:

— Здорово вас разозлили, а?

— Поехали домой! — перебила его Рейчел.

На морщинистом лице старика отразилось беспокойство. Он почесал седую голову.

— Я слыхал, сегодня здесь была потасовка.

Рейчел сердито взглянула на него:

— И где же ты был, когда это произошло?

Зеб сплюнул табак и похлопал по стоящему рядом ружью.

— Целился в того рыжеволосого парня. Я знал, что вам не нужна моя помощь, но на всякий случай...

Внезапно Рейчел засмеялась, и Зеб уставился на нее, как на сумасшедшую.

— Папа был прав, — произнесла она сдавленным голосом. — Когда стоишь слишком близко к Ноублу Винсенте, тебя может смести буря.

15.

Подсолнечники, склонив головы, плясали на ветру под голубым небом. Сухой горячий воздух обдувал лицо Рейчел. Легкая рябь на воде привлекла ее внимание — крупная рыба на миг высунула голову и скрылась в темных глубинах.

Прислонившись к дереву, Рейчел сидела на берегу Брасос, где она недавно плавала обнаженной с Ноублом, и пыталась собраться с мыслями. Почему она вернулась на это место? Что влекло ее сюда?

Сняв сапоги, Рейчел закатала штанины и окунула ноги в воду, шевеля пальцами, как делала в детстве. И почему только она не может быть похожей на своих сверстниц? Большинство ее подруг были замужем и имели детей, а у нее ничего не было, кроме «Сломанной шпоры». После смерти отца Рейчел очень тяжело работала и у нее оставалось мало времени для общения. Некоторые мужчины пытались ухаживать за ней, но она отделывалась от них под тем или иным предлогом. Правда состояла в том, что никто из них ее не интересовал.

Рейчел всегда ощущала, что ожидает чего-то или кого-то. Теперь она знала, что ожидала Ноубла Винсенте — и вовсе не для того, чтобы всадить в него пулю. Что бы ни произошло между ними, он всегда царил в ее сердце. Но ей нужно было справиться с этим чувством...

С трудом сдерживаемые слезы обжигали глаза Рейчел. Вчера в городе Ноубл был так одинок! Никто не желал помочь ему. Ей хотелось растерзать его обидчиков. Закрыв лицо руками, она горько заплакала. Внезапно ей вспомнились слова Ноубла: «Ты отлично знаешь, что это не так». Все сомнения исчезли — Ноубл не убивал ее отца. И как только она могла думать, что он это сделал?!

Но кто же тогда убил ее отца и почему?

Рейчел была настолько поглощена своими мыслями, что не услышала приближения всадника.

Ноубл спешился и подошел к ней:

— Привет, Рейчел! Это становится твоим любимым местом.

Девушка обернулась, и у него сжалось сердце. За все годы, что Ноубл знал Рейчел, он никогда не видел ее плачущей.

Опустившись рядом с ней на колени, Ноубл с тревогой посмотрел на нее.

— Ты больна? Или тебя обидели?

— Нет. Пожалуйста, уйди.

Ноубл поднялся, понимая, что Рейчел смущена, и посмотрел на реку.

— Сегодня жарко, — заметил он.

Взгляд Рейчел скользнул вверх по его высокой фигуре, задержавшись на кусочке марли, прикрепленном к щеке.

— Как твои раны?

— Заживают понемногу.

— Я очень рада.

— У меня не было возможности поблагодарить тебя за то, что ты сделала для меня вчера, Рейчел.

— Я бы сделала это для кого угодно, — отозвалась она, стараясь, чтобы ее голос звучал равнодушно.

— Тем не менее я тебе благодарен.

— Я уже сказала, что теперь мы в расчете. Больше я тебе ничем не обязана.

Ноубл рассмеялся, хотя Рейчел не находила в этом ничего забавного, а потом вдруг посмотрел на нее очень серьезно.

— Между нами еще не все кончено, Рейчел.

— Полагаю, ты хочешь, чтобы я назвала тебе имена тех, кто напал на тебя вчера?

— Нет. Я знаю их имена, и у меня уже состоялся разговор с Бобом Фостером. А помощник шерифа и тот рыжий покинули город.

— Трусы. Меня это не удивляет.

— Я все равно их найду.

Рейчел встала:

— Едва ли твое общение с Бобом Фостером ограничилось разговором. Я знаю все о гордости Винсенте. Ведь эти люди наступили на твою гордость, не так ли?

Ноубл внезапно наклонился и осторожно коснулся ее влажной щеки. Она не отстранилась.

— Гордость — не та роскошь, которую я сейчас могу себе позволить, Рейчел. Да и Техас уже не тот, каким я его оставил. Вряд ли он снова станет прежним.

— Как ты сказал мне в тот вечер в твоем саду, ничто не остается прежним.

Ноубл посмотрел на нее:

— Ничто, кроме тебя. Думаю, если бы ты полюбила какого-нибудь мужчину, то сражалась бы за него до конца. Верно?

Рейчел вдруг осознала, что уже сорвала все лепестки с подсолнечника, который держит в руке.

— Сначала нужно найти мужчину, достойного такой преданности.

— Вчера твои глаза горели зеленым пламенем при виде того, что казалось тебе несправедливым. И ты не осталась в стороне. Это задело твою гордость? — Он внимательно посмотрел на нее. — Или что-то еще?

— Только гордость. Я говорила тебе, что мне не нравится, когда несколько человек набрасываются на одного.

Взгляд Ноубла устремился на противоположный берег.

— Гордость — не такая плохая штука, Рейчел. Она отличает людей от животных.

— А Уинна Мей всегда говорит: «Гордость предвещает падение».

— Возможно... Но ты ведь понимаешь, что между нами что-то происходит, Зеленые Глаза, хотя и не хочешь в этом признаться.

Острая боль пронзила сердце Рейчел. Она молча боролась со своими чувствами и наконец одержала верх — по крайней мере, временно. Поднявшись, Рейчел шагнула назад и уставилась на свои босые ноги.

— Между нами ничего не происходит!

Ноубл сдержал улыбку, думая о том, как похожа на маленькую девочку та, которая еще вчера выглядела рыжеволосой амазонкой, готовой сразиться с целым городом.

— О тебе кто-нибудь заботится, Зеленые Глаза? Или ты так же одинока, как я?

Встретившись взглядом с Ноублом, Рейчел вдруг ощутила головокружение и странную теплоту внутри. Это было похоже на то, что она почувствовала, когда отец разрешил ей выпить бокал шампанского в сочельник.

— Я сама могу о себе позаботиться. — Она нахмурилась. — Я ни в ком не нуждаюсь.

— Ты могла бы позволить мне заботиться о тебе. — Усмехнувшись, Ноубл добавил: — Хотя, быть может, ты права и все обстоит совсем наоборот. В конце концов, вчера я лежал на земле и между мной и адом стояла только ты со своим ружьем. Возможно, это я нуждаюсь в твоей заботе, даже если моя гордость протестует против этого.

— Что касается тебя, Ноубл, то для заботы о тебе потребовалась бы целая армия янки. А что касается меня... Мне бы хотелось, чтобы ты ответил на несколько вопросов. Например, что хорошего в гордости, если за нее платишь честью?

— Моей честью или твоей?

— Твоей.

— Ты говоришь о своей сестре? Неужели нам нужно снова к этому возвращаться?

— Похоже на то. Ты скверно обошелся с ней, Ноубл. Неужели тебе безразлично то, как она страдала после твоего отъезда?

— Ты обсуждала это с Делией?

— Когда мы говорим о тебе, то это всегда заканчивается спором.

— Как и наши с тобой разговоры на эту тему. Я уже советовал тебе, Рейчел: спроси Делию о том, что произошло между нами. Сам я ничего не могу тебе рассказать.

«Неужели все дело снова в его проклятой гордости? — подумала Рейчел. — Гордость не позволила ему сообщить Джессу Мак-Ви о его сыне, не позволила обратиться за помощью. Неужели она же не позволяет ему говорить о Делии?»

— Интересно, почему ты не можешь рассказать мне о тебе и моей сестре?

— Потому что это не моя тайна, а ее.

Что он имеет в виду? Что может скрывать от нее Делия?

Наклонившись, Ноубл сорвал маленький подсолнух и осторожно воткнул его ей в волосы.

— Поговорим о чем-нибудь другом, ладно?

Рейчел вытащила цветок и отшвырнула в сторону, потом опустилась на траву и стала надевать сапоги.

— Мне не о чем с тобой разговаривать. Я должна возвращаться домой.

Ноубл, покусывая травинку, наблюдал за ней и вспоминал ее прекрасное тело в тот день, когда она сбросила одежду, чтобы войти к нему в реку. Конечно, сейчас не время об этом думать. Должно быть, она бы застрелила его, если бы он снова предложил ей поплавать.

— Что ты вчера делала в городе? — спросил Ноубл, пытаясь задержать Рейчел.

— Если хочешь знать, заказывала себе новое платье.

— Вот как?

— Да, для праздника урожая.

Ноубл удивленно поднял брови:

— Этот праздник все еще отмечают?

— Конечно. Но тебе что до этого? Винсенте никогда не посещали городские праздники, и едва ли ты нарушишь традицию. Наверное, наши танцы для тебя чересчур примитивны. — Она натянула второй сапог. — Кстати, не многие в округе Мадрагон получали приглашение на фиесту Винсенте.

Ноубл протянул ей руку, чтобы помочь подняться. Рейчел сперва хотела отказаться, но решила, что это выглядело бы по-детски.

— У моего отца были странные предрассудки, Рейчел. Он считал, что мужчина не должен вступать в брак и даже развлекаться «за пределами своего класса». А я даже не знаю, что собой представляет мой класс.

— В любом случае это высший класс! — усмехнулась она.

Ноубл разглядывал легкую россыпь веснушек на ее дерзком маленьком носу. И почему только женщины так стремятся, чтобы их кожа была абсолютно белой? У Рейчел такие очаровательные веснушки. Ему хотелось сжать ее в объятиях и поцеловать каждую из них.

— Итак, — заговорил Ноубл, — ты пойдешь на танцы и разобьешь сердце сразу всем мужчинам. — Он сильнее стиснул ей руку. — Между прочим, я никогда не спрашивал, есть ли в твоей жизни какой-нибудь особенный мужчина.

Рейчел с трудом освободила руку.

— Это не твое дело, — неуверенно ответила она.

Ноубл рассмеялся, подошел к своей лошади и вскочил в седло.

— Кстати, ты не знаешь, почему мистер и миссис Мак-Ви сегодня явились ко мне домой и при этом буквально лучились добротой? Миссис Мак-

Ви привезла пироги, варенье и желе в таком количестве, что я мог бы открыть собственную лавку.

— С какой стати я должна знать об этом?

— Кажется, я разоткровенничался с тобой насчет смерти их сына...

Рейчел уставилась на носок черного сапога Ноубла.

— Если они вдруг прониклись к тебе симпатией, то рано или поздно разочаруются.

— Рейчел, ты самая невероятная из всех женщин, каких мне приходилось встречать! Чтобы разобраться в тебе, мне приходится игнорировать все правила, которых я обычно придерживался. Ты как ртуть, которую нельзя удержать в руке. Ты абсолютно непредсказуема!

— Не сомневаюсь, что женщин в твоей жизни было более чем достаточно.

Усмехнувшись, Ноубл коснулся полей шляпы и пришпорил лошадь.

— До встречи, Зеленые Глаза!

Как только Ноубл скрылся из виду, Рейчел подобрала подсолнух и прижала его к сердцу. И зачем только он вернулся в Техас?! Если бы он жил где-то далеко, она бы провела остаток жизни, продолжая его ненавидеть...

Впрочем, теперь Рейчел понимала, что никогда по-настоящему не ненавидела Ноубла.

16.

Кожаное седло скрипело под Рейчел, когда она наклонялась в разные стороны, пересчитывая телят, которых загоняли в кораль для клеймения.

Заблудившиеся коровы, не имевшие клейма, становились собственностью фермера, поставившего на них свое тавро. В минувшие годы по пастбищам бродило множество голов скота, но теперь их стало гораздо меньше.

Выражение лица стоящего рядом Зеба подсказало Рейчел то, что она уже знала.

— Их слишком мало, мисс Рейчел.

— Зеб, ты же знаешь, какие сейчас высокие налоги. Кроме того, в Техасе все еще действуют законы военного времени. Только крупный рогатый скот может спасти ранчо. На востоке говядина пользуется большим спросом.

— Да, но весь фокус состоит в том, мисс Рейчел, чтобы доставить стадо к железнодорожной станции и отправить на восток. У нас недостаточно голов, чтобы дело того стоило.

— Знаю.

— Может быть, в будущем году, — ободряюще добавил Зеб.

Рейчел тяжело вздохнула:

— Я насчитала двадцать две головы, Зеб. — Она подала ему знак закрыть ворота. — Не так плохо для этого времени года.

Старик снял шляпу и почесал голову.

— Думаю, этих мы нашли потому, что сейчас засуха и они держатся поближе к реке.

Рейчел наблюдала, как старший ковбой, Тэннер Гиббонс, набросил аркан на теленка, другой работник повалил его наземь, а третий поставил на нем клеймо в форме шпоры. Она почувствовала знакомый запах паленой шкуры. Теперь с тавром «Сломанной шпоры» все это стадо принадлежало ей.

Тэннер был высоким худощавым парнем, с ясными серыми глазами и светло-каштановыми волосами. Он был прирожденным ковбоем и провел всю жизнь в «Сломанной шпоре». Покончив с последним теленком, он взобрался на ограду и посмотрел на свою хозяйку.

— Думаю отвести их на северное пастбище. Оно недалеко от реки, и травы там достаточно. — Тэннер устремил взгляд на безоблачное небо. — Если скоро не пойдет дождь, мы можем потерять большую часть стада.

Рейчел заслонила глаза от яркого солнца рукой в перчатке.

— Нам приходится мириться с янки и засухой — не знаю, что из них хуже. — Она улыбнулась Тэннеру. — Пожалуй, все-таки янки. Я ожидаю услышать со дня на день, что они строят форт в Таскоса-Спрингс.

Тэннер едва мог говорить, когда Рейчел смотрела на него своими зелеными глазами. Все на ранчо, кроме его владелицы, знали, что он влюблен в нее. Ему хотелось сказать ей о своих чувствах, но он понимал, что недостаточно хорош для такой девушки. Она была леди, а он всего лишь молодым ковбоем без гроша за душой. Ни одной женщиной Тэннер не восхищался так, как своей хозяйкой. В седле она не уступала ни одному мужчине и никогда не жаловалась, если ей приходилось часами ездить верхом под дождем. Отец воспитывал ее, как мальчишку, но это не мешало Тэннеру видеть в ней ослепительную красавицу.

Конечно, она может получить в мужья любого мужчину, который ей приглянется.

— Вы собираетесь на танцы, мисс Рейчел? — набравшись смелости, спросил Тэннер. Он нервно теребил в руках шляпу, стараясь, чтобы дрожь в голосе не выдала его волнения.

— Разумеется — как и все остальные. — Рейчел кивнула в сторону дома. — Даже мой зять прибыл сегодня из Остина, чтобы посетить праздник. — Она усмехнулась. — Будем надеяться, что он обойдется без длинных речей.

— Возможно, он когда-нибудь станет губернатором, — заметил Тэннер. — Если только чертовы янки... — Он покраснел. — Прошу прощения, мэм. Я хотел сказать, если янки в Вашингтоне вернут нам право голосовать.

Над головой Рейчел пролетело несколько сарычей. «Наверное, еще одна корова пала, — с грустью подумала она. — Мы уже потеряли столько голов».

— Если нам позволят голосовать, можешь не сомневаться, что мой зять получит свою долю голосов — он об этом позаботится.

— Мисс Рейчел... — Тэннер попытался улыбнуться, но его губы дрогнули, а лицо покраснело.

— Да, Тэннер?

— Не могли бы вы... э-э... — Он снова запнулся.

Рейчел улыбнулась:

— Я обязательно приберегу для тебя один танец.

— В самом деле, мэм? — Теперь лицо Тэннера покраснело от удовольствия.

* * *

Уит посмотрел в окно, прислушиваясь к мычанию коров и голосам ковбоев. Хотя «Сломанная шпора» не являлась особенно крупным ранчо, она была важна для Уита, поскольку выходила к реке Брасос и граничила с Каса дель Соль — королем всех ранчо Техаса. В свое время ранчо Винсенте принесло процветание Таскоса-Спрингс. Все лавки города продавали товары для Каса дель Соль, банк приобрел влияние благодаря связанным с нею финансовым операциям, Винсенте нанимали на работу сотни людей. Уит хотел занять место Ноубла Винсенте, а не пребывать в его тени. Каждый раз, глядя на Делию, он вспоминал, что Ноубл был ее первым мужчиной, и ненавидел его за это.

— На что ты уставился, Уит? — спросила Делия, обвивая золотистую прядь волос вокруг головы и закрепляя ее украшенным драгоценными камнями гребнем.

— На ранчо, которым управляет женщина и которое процветает в отличие от его соседей. Но так будет недолго. Еще до следующей весны у твоей сестры начнутся неприятности.

— Что ты имеешь в виду?

— Налоги! — Прищурившись, Уит снова посмотрел в окно на Рейчел, идущую к дому. Ему были хорошо видны ее туго обтянутые рубашкой груди и изгибы бедер, которые не могли скрыть кожаные брюки. — Несмотря на отчаянные усилия собрать заблудившихся коров, Рейчел не удастся накопить достаточно денег, чтобы уплатить налоги на ранчо.

Делия выглядела раздосадованной.

— Ради бога, Уит, не заводи разговор с Рейчел о продаже ранчо, иначе она будет злиться весь вечер!

Уит отошел от окна, с усмешкой наблюдая, как его жена искусно накладывает на щеки румяна.

— Традиционный праздник урожая. Прекрасный мы проведем вечер, ведя остроумные беседы со старыми друзьями! Как же я буду этим наслаждаться!

— Иногда мне кажется, Уит, что ты забыл, откуда ты родом, — недовольно отозвалась Делия. — Ты вырос в Западном Техасе, появился на свет в хижине, а твой отец был ковбоем. Это твой народ, но ты забываешь об этом, находясь в Остине и пытаясь впечатлить своих расфуфыренных друзей.

Уит нахмурился. Он смог вытащить себя из трясины, в которой родился. У него были роскошный дом в Остине, красивая жена и влиятельные друзья. Естественно, он не любил, когда ему напоминали, что его отец был простым ковбоем. Правда, иногда это шло ему на пользу, когда он завоевывал голоса фермеров, давая им понять, что некогда был частью их мира. Уит обладал способностью быстро менять личину в зависимости от ситуации и окружения.

— Мой народ — все граждане Техаса, — с легким раздражением отозвался он, кладя руки на плечи жены и глядя на ее отражение в зеркале. — Разве ты не знаешь, как они любят меня?

— А ты сам-то любишь кого-нибудь?

Руки Уита скользнули вниз, к ее полной груди.

— Я хочу тебя — это чувство куда сильнее, чем любовь. — Наклонившись, он поцеловал Делию в шею, потом поднял ее и привлек к себе. — Я сделал отличный выбор, когда женился на тебе. Но, должен признаться, твоя маленькая сестричка становится первой красавицей в семье.

Делия оттолкнула его:

— Ты испортишь мне прическу.

— Тебе не нравится, когда я говорю о твоей сестре, верно? — В его голосе послышались нотки враждебности.

Делия повернулась к нему, свирепо блестя глазами.

— Я знаю о твоих похождениях, Уит, и меня не заботят твои женщины, пока ты не похваляешься ими передо мной. Но если ты подойдешь к моей сестре, я тебя убью!

Он снова обнял ее:

— Интересно, твой гнев вызван желанием защитить Рейчел или ревностью? Малютка Рейчел стала лакомым кусочком.

— Если ты притронешься к моей сестре, ты умрешь, — повторила Делия и посмотрела мужу в глаза. — Оставь ее в покое, Уит. Рейчел не такая, как мы с тобой. Она... особенная.

Уит взял бутылку и налил в стакан немного бренди.

— А если я хочу, чтобы ты меня ревновала? Ты бы могла поверить, что я бы никогда не взглянул на другую женщину, если бы ты любила меня?

Он передал стакан Делии. Она залпом выпила бренди и протянула стакан для новой порции.

— Довольно, прелесть моя. Это становится дурной привычкой.

— Ты сам приучил меня к этому. — Делия рассмеялась, тряхнув золотой гривой. — Теперь я и дня не могу прожить без бренди.

— А ты бы поверила, если бы я сказал, что хочу, чтобы ты бросила пить?

— Нет, не поверила бы. Тебе нравится, когда я пьяна. Не знаю, почему.

Уит провел пальцем по ее губам.

— Почему ты вышла за меня замуж?

Она снова засмеялась:

— Потому что ты попросил меня. Хотя я всегда знала, что ты видел во мне не женщину, а красивую вещь, которой можно хвастаться перед друзьями.

Уит прижался щекой к щеке Делии, вдыхая аромат ее духов.

— Возможно, ты права. — Он слегка укусил ее за мочку уха. — Но ты возбуждаешь меня, как никакая другая женщина. И ты тоже хочешь меня!

Делия едва не задохнулась, когда Уит впился в ее губы, и невольно обняла его за плечи. Но перед ее мысленным взором стояло другое лицо — лицо Ноубла с темными испанскими глазами. «Это Ноубл целует и ласкает меня, — твердила она себе. — Ноубл, Ноубл, Ноубл...»

— Мы не успеем приготовиться к празднику, — прошептала Делия.

— Еще достаточно времени, — отозвался Уит, раздевая ее и укладывая на кровать. — Тебя не было слишком долго, Делия. Я соскучился по тебе.

Она изумленно заморгала, видя в его глазах искреннее чувство. Неужели Уит любит ее по-настоящему? Делия никогда этого не знала. На людях они выглядели любящей парой, которой все завидовали, но в спальне превращались в два тела, ищущих только физического наслаждения.

Делия отдалась страсти, которую всегда возбуждал в ней Уит. Образ Ноубла потускнел — теперь она видела перед собой только своего мужа.

Уит проник в нее с такой силой, что едва не сбросил с кровати. Злоба и страсть, бушевавшие в нем, делали его хорошим любовником. Делия отвечала на каждое его движение, постанывая от удовольствия.

— Это не любовь, — прошептала она, когда они достигли кульминации.

— Нет, — согласился Уит. — Всего лишь животная страсть. Но это куда лучше, чем любовь.

— И когда же эта страсть погаснет?

— Когда мы оба будем в аду, — ответил Уит. — А может, она переживет и это.

17.

Звуки музыки и смеха смешивались с приветствиями вновь пришедших. Праздник урожая был одним из главных событий года в округе Мадрагон. Эта традиция зародилась вместе с основанием города в 1844 году. Конечно, во время войны танцев не было — считалось непатриотичным праздновать, когда молодые парни гибли в сражениях далеко от дома.

Танцы происходили в старой ратуше, и веселые мелодии слышались на пустых улицах Таскоса-Спрингс. Едва ли во всем графстве нашлись бы мужчина, женщина или ребенок, отказавшие себе в удовольствии присутствовать на празднике. Многие женщины весь год откладывали деньги на покупку нового платья. Молодые девушки с нетерпением ожидали возможности пофлиртовать с приглянувшимися им джентльменами в городских костюмах, которых здесь было не меньше, чем ковбоев в традиционном для Запада облачении.

Рейчел прибыла с сестрой и зятем в их экипаже. Как только нога Уита коснулась земли, его рот растянулся в улыбке и он смешался с толпой, пожимая людям руки, хлопая их по спине и расспрашивая об их семьях. Делия покорно следовала за ним, но выглядела скучающей. Она всегда ненавидела этот праздник, предпочитая элегантные балы и званые вечера в высшем обществе Остина.

Уит вел под руку Делию, но его глаза были устремлены на Рейчел. От этого ей было не по себе. «Чего ради он на меня уставился?» — думала она. Войдя в зал, Рейчел внезапно ощутила глубокую печаль при мысли о павших на войне. У этих людей были лица и имена, они были ее соседями. Она надеялась, что не увидит здесь синих мундиров янки.

Зал был украшен разноцветными лентами и фонариками — местные старые девы потрудились на совесть. «Возможно, и я вскоре стану одной из них», — подумала Рейчел. Задержавшись на ступеньке у входной двери и окидывая взглядом толпу, она не догадывалась, что ее появление привлекло всеобщее внимание и что она сразу затмила всех женщин в зале. Ее голубое бархатное платье с широкой юбкой подчеркивало тонкую талию, рыжие с золотым отливом волосы падали на обнаженные плечи, придавая коже кремовый оттенок. Спустившись в зал, Рейчел направилась к сестре, отвечая на приветствия друзей и по-прежнему не замечая, что взгляды всех присутствующих следуют за ней. Взглянув на Делию, Рейчел заметила выражение скуки на ее лице и отбросила горестные мысли, поняв, что сестра нуждается в ней.

— Улыбайся! — шепнула она Делии. — Ты всегда уговаривала меня поддерживать имидж Уита. Не пора ли последовать собственному совету?

— Эти мероприятия всегда были тоскливыми, — отозвалась Делия, — и я сомневаюсь, что они изменились. — Тем не менее она заставила себя улыбнуться.

— А ты думай об этом месте не как о бальном зале, а как о помещении, полном потенциальных избирателей, — с усмешкой сказала Рейчел.

Делия тоже усмехнулась:

— Посмотри на моего мужа — сегодня ему явно удастся завоевать еще несколько десятков голосов. Видишь, как Уит дружески беседует с местными жителями? Заставляет их поверить, что он все еще один из них! Но все его поступки рас-

KOHCTAHЦИЯ О'БЭНЬОН

считаны заранее. Сегодня Уит хочет, чтобы на него смотрели, как на городского парня, который добился успеха и вернулся в родной город навестить старых друзей. Мой муж — законченный лицемер! — добавила она с отвращением.

— Зато он перспективный кандидат, — напомнила Рейчел Делии ее же слова.

Сестры стояли рядом, приковывая к себе внимание окружающих. Каждая была красива по-своему. Делия выглядела необычайно элегантной в своем атласном платье абрикосового оттенка, украшенном бисером и отороченном ярдами дорогого кружева. Рейчел с ее пламенеющими волосами казалась дикой и непредсказуемой. На ее голубом платье почти не было украшений, но она в них и не нуждалась.

Стараясь выглядеть менее официально, чем обычно, Уит не надел галстук и расстегнул воротник рубашки. Подойдя к Делии и Рейчел, он встал между ними, обнимая их за талию и обмениваясь любезностями с каждым, кто оказывался рядом. Рейчел не осуждала Уита. «В конце концов, — думала она, скрывая улыбку, — если хочешь стать губернатором Техаса, приходится жить по определенным правилам».

Лицо Рейчел прояснилось, когда она увидела направляющегося к ней шерифа Гриншо. Кивнув Делии и Уиту, он взял Рейчел за руку.

— Вы самая хорошенькая из всех женщин, присутствующих здесь!

Рейчел нравился шериф: он чем-то напоминал ей отца.

— Можно я передам ваши слова Мэтти? — поддразнила она его.

Гриншо усмехнулся:

— Моя жена согласится со мной. Позвольте мне угостить вас стаканом пунша, чтобы я стал предметом зависти молодых ослов, которые глазеют на вас, но боятся пригласить на танец.

Он галантно взял Рейчел под руку и повел ее к стойке, где разливали пунш. Рейчел вдруг охватило странное предчувствие, что что-то должно произойти. Она не знала, что́ именно случится и будет ли это событие хорошим или плохим. То же ощущение Рейчел испытывала перед тем, как убили ее отца... Она тряхнула головой, пытаясь отогнать его, и со вздохом облегчения взяла у шерифа стакан пунша.

Взгляд Рейчел вновь скользнул по толпе. Она понимала, что надеется на появление Ноубла. Конечно, он вряд ли придет, но кто знает?..

Бал продолжался, и Рейчел потеряла счет своим партнерам по танцам. Наконец она шагнула в тень, чтобы немного передохнуть. У нее болели ноги, не привыкшие к атласным туфелькам. Встретив взгляд Тэннера, наблюдавшего за ней издалека, она улыбнулась ему.

Тэннер весь вечер не сводил глаз с Рейчел, не сомневаясь, что, если бы ангел спустился на землю, он не смог бы затмить ее красоту. Голубое бархатное платье покачивалось в такт каждому ее движению, рыжие волосы отливали золотом. Ковбой знал, что никогда не наберется храбрости пригласить ее танцевать. Когда Рейчел направилась к нему, Тэннер судорожно глотнул, переминаясь с ноги на ногу. Он пытался найти нужные слова, но у него ничего не получалось.

— Ну как, ты хорошо проводишь время, Тэннер? — обратился к нему ангел.

— Да, мэм. — Ковбой проклинал свой дрожащий голос, не замечая, что дрожит всем телом.

Рейчел улыбнулась:

— Ты помнишь, что обещал мне танец?

— Я... э-э... да, помню. — Он сделал глубокий вдох. — Вы потанцуете со мной, мисс Рейчел?

Она протянула ему руку в перчатке:

— С удовольствием.

Тэннер взял ее за руку, молясь о том, чтобы не споткнуться. Он был неважным танцором, но надеялся, что все-таки сможет двигаться в такт музыке. Коснувшись обтянутой бархатом талии Рейчел, он едва не отдернул руку. Понимает ли она, что́ с ним творится, или просто считает его неуклюжим олухом?

Рейчел снова ободряюще улыбнулась. Тэннер был отличным ковбоем, но всегда робел в присутствии женщин. Ей хотелось, чтобы он нашел себе славную девушку и женился на ней, тем более что в таком случае он навсегда остался бы в «Сломанной шпоре».

— Тэннер, — заговорила она, — я заметила, что Салли Гриншо наблюдает за тобой. По-моему, ты ей нравишься. Ты танцевал с ней сегодня?

Тэннер считал шаги, чтобы не сбиться, но, когда Рейчел обратилась к нему, наступил на ее атласную туфельку.

— О, простите, мисс Рейчел! — пролепетал он. — Вам больно?

Она покачала головой:

— Я говорила с тобой о Салли.

Тэннер думал, что окажется в раю, если Рейчел согласится потанцевать с ним, но вместо этого очутился в аду. Он не мог ясно мыслить, находясь так близко от нее. Ему мучительно хотелось прикоснуться к волосам девушки и проверить, действительно ли они такие мягкие, какими кажутся.

— Салли — это дочка шерифа? — переспросил Тэннер, не понимая, как можно замечать любую другую женщину в присутствии Рейчел.

— Почему ты не пригласил ее танцевать?

— Я... скверно танцую.

— Чепуха. У тебя отлично получается.

Тэннер понимал, что она просто хочет сказать ему что-нибудь приятное, но все равно вдруг почувствовал, будто парит в воздухе.

— Если хотите, я приглашу ее.

Рейчел засмеялась:

— Сейчас я не твоя хозяйка, Тэннер. Ты можешь пригласить на танец хорошенькую девушку, если сам этого хочешь.

Тэннер оглянулся и встретился взглядом с мягкими серыми глазами Салли Гриншо. Он никогда не думал о ней как о женщине. Салли работала школьной учительницей, и, чтобы догадаться об этом, достаточно было взглянуть на нее. В скромном сером платье, отороченном черной тесьмой, и волосами, туго стянутыми в пучок на затылке, она выглядела достаточно хорошенькой, но не шла ни в какое сравнение с ангелом, которого он держал в своих объятиях.

— Я потанцую с ней, если она не против, — сказал наконец Тэннер.

Рейчел почувствовала, что Ноубл вошел в зал, еще до того, как увидела его. Атмосфера сразу наполнилась возбуждением — все перешептывались, спрашивая, что могло привести могущественного Ноубла Винсенте на местный праздник. Рейчел тоже это интересовало. Быть может, он пришел из-за нее?..

— Кажется, это мой танец, — сказал Ноубл, подойдя к ней и насмешливо блеснув темными глазами.

Тэннер сразу же отпустил партнершу, пробормотав что-то насчет стакана пунша, и быстро отошел, а Рейчел поплыла в объятиях Ноубла, не имея сил отказать ему. Оба молчали. Рука Ноубла лежала на ее талии, Рейчел ощущала тепло его пальцев сквозь ткань. Ноубл был отличным танцором — уверенным и властным; впрочем, таким он был во всем. Она с упоением подчинилась его воле, двигаясь в такт музыке и в точном соответствии с движениями партнера.

Взгляды всех были прикованы к Ноублу и Рейчел. На Ноубле были темные брюки в обтяжку с серебряным галуном, крахмальная белая рубашка, подчеркивающая смуглую кожу, и короткая куртка-болеро с такой же серебряной каймой. Он выглядел, как испанский гранд.

Зеленые глаза Рейчел смотрели в карие глаза Ноубла. Ей казалось, что, кроме них, в зале нет никого.

У нее вдруг пересохло во рту, и она произнесла хриплым шепотом:

— Не ожидала, что ты придешь.

Ноубл следил за отражающимися на ее лице противоречивыми эмоциями — упрямство сменилось неуверенностью и наконец гордостью.

— Но ведь ты пригласила меня, Рейчел. Я не мог тебе отказать после того, как ты приняла мое приглашение.

— Не понимаю, о чем ты.

Ноубл засмеялся и шепнул ей на ухо:

— Я пригласил тебя поплавать, а ты пригласила меня потанцевать.

— Не помню, чтобы я тебя приглашала.

— Но ты ведь хотела, чтобы я пришел, не так ли?

Рейчел сразу напряглась:

— Если бы ты был джентльменом, то забыл бы тот день, когда я...

Ноубл привлек ее к себе так близко, что она слышала, как стучит его сердце.

— Если хочешь, я больше ни разу не упомяну о нашем купании. — Он улыбнулся. — Но ты не можешь запретить мне думать об этом.

— Почему ты пришел?

— Чтобы потанцевать с тобой.

Стараясь скрыть удовольствие, Рейчел посмотрела вокруг, отметив завистливое выражение на лицах других дам.

— Многие женщины сейчас хотели бы поменяться со мной местами, — усмехнулась она. — Хотя, возможно, они побаиваются тебя.

— А ты?

— Чего ради мне тебя бояться?

— В самом деле, — засмеялся Ноубл. — А я

вижу, что многие мужчины отдали бы все, чтобы потанцевать с тобой.

— Ты льстишь мне.

— Нет, Зеленые Глаза, я говорю правду. — Он сильнее сжал ей руку. — А ты ответишь мне правдиво на один вопрос?

— Смотря о чем ты спросишь.

В его глазах блеснула усмешка.

— Вопрос достаточно прост. Должен ли я ревновать к кому-нибудь из мужчин в этом зале?

— Нет, — честно ответила Рейчел.

Ноубл облегченно вздохнул:

— В таком случае все мужчины округа Мадрагон круглые идиоты!

* * *

Делия наблюдала за сестрой, танцующей с Ноублом, покуда Уит наблюдал за Делией.

— Тебе хотелось бы самой находиться в его объятиях, не так ли, дорогая?

— Не говори глупости. Я просто беспокоюсь за сестру, — холодно отозвалась она.

Уит смотрел на человека, которого ненавидел больше всего на свете и который обладал тем, чего он жаждал, но никогда не мог получить. Ноубл был знатен, богат и могуществен. Богатства и могущества Уит сумел добиться, но он знал, что всегда останется сыном ковбоя. Уит родился в хижине без окон и с грязным полом, а Ноубл Винсенте появился на свет в знатном семействе и носил свое имя, как знак почета.

— Посмотри на него, Делия. Похоже, ему удалось убедить всех, что он не убивал твоего отца.

— Он действительно не убивал его.

Уит нахмурился. Вечер был для него безнадежно испорчен.

— Город радостно приветствует возвращение блудного сына. Взгляни на их лица — как же они заискивают перед ним! Мясник, бакалейщик, жестянщик — все стараются урвать что-нибудь от его щедрот. Я слышал, что Каса дель Соль заново отстраивается и все в Таскоса-Спрингс норовят ухватить кусок пирога.

— Кажется, ты слышал слишком много для человека, который только что прибыл из Остина.

— Я уже говорил тебе, что у меня имеются свои источники.

— А я говорила тебе, Уит, что не желаю ничего знать о твоих грязных маленьких секретах.

— Сбавь тон, дорогая! — Хотя Уит говорил тихо, в его голосе слышалась явная угроза. — Хочешь, чтобы все догадались, что наш брак далек от идеального?

Делия повернулась к нему:

— Ты умеешь заставить людей верить в то, что тебе нужно. Только не рассказывай мне, как ты это проделываешь.

Глаза Уита походили на горящие уголья.

— Еще бы, Делия! Не зная правды, ты можешь не чувствовать себя соучастницей. Но предположим, что это я повинен во всех бедах Ноубла. Как бы тебе это понравилось? А впрочем, не беспокойся. Что бы я приобрел, погубив его?

— Очевидно, чувство глубокого удовлетворения. Но я знаю только одно: Ноубл храбро сражался на войне. А где ты был в это время, Уит?

Он посмотрел на нее сквозь прищуренные веки.

— Я был дома и удовлетворял тебя, дорогая моя.

— Дурак! — прошипела Делия, чувствуя, что находится на грани истерики. — Я хочу домой!

Уит стиснул ее пальцы:

— Держи себя в руках, Делия. Когда мы уйдем отсюда, можешь говорить и делать, что тебе угодно, но здесь веди себя достойно.

— Я ненавижу тебя!

Его взгляд стал жестким.

— Ну и что из этого? Ты моя жена и останешься ею, пока один из нас не умрет. — Он подтолкнул ее вперед. — Пожалуй, нам стоит засвидетельствовать почтение Ноублу. Тебе не кажется, что пора возобновить старое знакомство?

* * *

Ноубл увидел, что Уит и Делия направляются к ним, и нахмурился. Ему вовсе не хотелось светски беседовать с этой парой.

— Давай выйдем на улицу, Рейчел, — предложил он.

Рейчел знала, что этого делать не следует. Но Ноубл был для нее запретным плодом, а запретный плод, как известно, самый желанный. Она молча взяла его за руку, и люди расступились, пропуская их.

Никто из них не заметил гнева на лице Уита и смущения Делии. Она думала, что её сестра ненавидит Ноубла, но сегодняшнее поведение Рейчел отнюдь этого не подтверждало.

— Знаешь, Делия, — заметила миссис Мак-Ви, наблюдая за Рейчел и Ноублом, — я не удивлюсь, если скоро состоится свадьба.

— Вы имеете в виду мою сестру и Ноубла? — недоверчиво осведомилась Делия.

Жена лавочника кивнула:

— По-моему, они просто созданы друг для друга. А если «Сломанная шпора» и Каса дель Соль объединятся, это пойдет всем только на пользу.

— Я не знал, что вы такого высокого мнения о Ноубле Винсенте, — заметил Уит, сдвинув брови. — С каких это пор?

— Я жестоко ошибалась в Ноубле и хочу, чтобы весь мир услышал об этом! — Миссис Мак-Ви приложила к глазам носовой платок. — Вы знаете, что Ноубл заботился о моем умирающем сыне?

Уит улыбнулся, но взгляд его оставался жестким.

— Подумать только, — спокойно произнес он. — Ноубл Винсенте — настоящий герой!

* * *

В воздухе не ощущалось ни малейшего дуновения, небо было усеяно звездами, напоминающими тысячи бриллиантов на черном бархатном фоне. На пустынных улицах попадались и другие молодые пары, но Ноубл и Рейчел не обращали на них внимания. Идя по дощатому настилу, они словно зачарованные смотрели на луну.

— Мне не следовало выходить с тобой, — заговорила Рейчел. — Теперь пойдут разговоры...

— Тем не менее ты вышла. Не думаю, чтобы тебя заботили сплетни.

Рейчел посмотрела на него.

— Ты заблуждаешься, — чопорно заявила она. — Меня заботит то, что люди думают о моем поведении.

Ноубл окинул ее взглядом.

— Стоило прийти сюда, чтобы увидеть тебя в этом платье. — Он коснулся ее бархатного рукава. — Ты такая красивая...

— Если это комплимент, я его принимаю.

Ноубл улыбнулся:

— В брюках ты мне тоже нравишься. Но мне не нравится, когда другие мужчины видят тебя в них.

— Почему? Ни их, ни тебя не касается, что я ношу.

Его пальцы скользнули вниз по рукаву ее платья.

— Ты права. Меня это не касается — пока что.

Подняв взгляд, Рейчел не знала, что ему сказать. От близости Ноубла у нее кружилась голова.

— Кажется, твои раны зажили?

— Похоже на то.

— Я должна вернуться в зал.

Он взял ее за руку:

— Ты в самом деле этого хочешь, Рейчел? А мне казалось, ты хочешь любви...

Она уставилась на него:

— Любви? Надеюсь, ты не предполагаешь, что мы можем испытывать любовь друг к другу?

— А почему бы и нет?

Рейчел шагнула назад:

— Ты меня смущаешь.

— Нет, Рейчел, ты смущаешь себя сама. Встретимся ночью у реки? — Ноубл протянул руку к ее обнаженному плечу. — Я хочу побыть с тобой наедине. Мы могли бы поговорить без помех.

— Нет! — слишком быстро ответила Рейчел, потому что больше всего на свете ей хотелось остаться с ним наедине. — Я уже однажды встречалась с тобой на реке и боюсь, что мое поведение в тот день создало у тебя неверное представление обо мне.

Ноубл прижал ее руку к своей груди:

— Чувствуешь, как бьется мое сердце, когда я рядом с тобой?

Она отдернула руку:

— Не говори так со мной! Я не желаю этого слышать!

Ей не хотелось, чтобы Ноубл заметил, какой радостью наполнилось ее сердце. Он снова протянул руку, и Рейчел отпрянула.

— Не надо, Ноубл.

— Ты чувствуешь то же, что и я, Рейчел. Ты знаешь, что, когда мы вместе, происходит нечто волшебное.

Внезапно Рейчел подумала о Делии, и гнев помог ей обрести самообладание.

— То же самое происходило, когда ты был с моей сестрой?

Она тут же пожалела о своих словах, но было поздно. Несколько секунд Ноубл молчал.

— Приходи ночью к реке, и мы поговорим об этом.

— Ну, нет! Когда мы с тобой у реки, происходят ужасные вещи. Кроме того, что ты можешь сообщить мне там, чего не мог бы сказать здесь?

Внезапно Ноубл увлек ее в тень, и, прежде чем Рейчел успела опомниться, его теплые губы прижались к ее губам. Ей показалось, будто она тонет; удары сердца гулко отзывались у нее в ушах.

Наконец Ноубл поднял голову.

— Приходи к реке, — хрипло прошептал он. — Я буду ждать тебя.

Рейчел судорожно глотнула.

— Никогда, — шепотом отозвалась она, хотя ей безумно хотелось ответить «да».

Ноубл снова привлек ее к себе, его губы скользнули по щеке Рейчел к ее рту. Она прижалась к нему, дрожа всем телом и зная, что не могла бы отстраниться, даже если бы хотела этого.

Он посмотрел на нее:

— Я хочу целовать тебя бесконечно.

— Пожалуйста, не надо! — взмолилась Рейчел, боясь, что, если Ноубл поцелует ее снова, она сделает все, о чем он попросит.

С печальной улыбкой Ноубл отпустил ее, и они в молчании вернулись к ратуше.

Рейчел наблюдала, как он садится на лошадь, слышала, как скрипит под ним седло. Ноубл поехал по пустынной улице, и вскоре его поглотил вечерний сумрак, а стук копыт постепенно умолк.

Ощущая мучительное одиночество, Рейчел до боли стиснула кулаки. Ей страшно хотелось пойти к реке, но она понимала, что не должна этого делать. Она чувствовала, что Ноубл каким-то странным образом испытывает ее, и не понимала, почему.

— Я не пойду к нему! — прошептала Рейчел. — Ни за что!

* * *

Ноубл подъехал к реке и спешился. Шагая вдоль берега, он все еще ощущал аромат шелковистых волос Рейчел, чувствовал вкус ее губ... Ноубл закрыл глаза, позволяя прохладному ветерку остудить разгоряченное лицо. Конечно, Рейчел не придет сюда этой ночью. Но настанет время, когда она уже не сможет отрицать то, что происходит между ними.

Чувство прежнего одиночества возвратилось вновь, и сердце Ноубла сжалось. Эту боль могла облегчить только Рейчел. Он хотел ее — нет, черт возьми, он нуждался в ней! Неужели она этого не понимала?!

Ноубл прислонился к дереву, надеясь, что Рейчел все-таки появится, но зная в глубине души, что этого не произойдет. Между ними стояла Делия и, возможно, будет стоять всегда.

* * *

Рейчел металась по кровати не в силах заснуть. Еще одна бессонная ночь по вине Ноубла. Она чувствовала, что какая-то непреодолимая сила влечет ее к реке.

— Нет! — простонала Рейчел и ударила кулаком по подушке. — Я должна с этим справиться! Я не пойду к нему! — После сегодняшнего вечера она понимала, что не может рисковать, оставаясь с ним наедине.

Начало светать, а сон все не приходил к Рейчел.

— Я не хочу любить его! — повторяла она про себя, прекрасно понимая, что уже слишком поздно.

Рейчел не знала, что любовь может быть такой всепоглощающей и мучительной. Но может быть, ей удастся убить это чувство, просто игнорируя его?..

— Я справлюсь с этим! — Опустив голову на подушку, она закрыла глаза. — Если я не буду видеться с Ноублом, моя любовь к нему умрет сама собой.

Но Рейчел не верила своим словам.

18.

Подходя к общежитию для работников, Рейчел почувствовала запах крепкого кофе. Улыбнувшись, она направилась к Зебу, который сидел на ступеньках и выстругивал нечто напоминающее фигуру лошади.

— Хотите кофе, мисс Рейчел? — спросил он, глядя на нее из-под густых бровей.

— Неужели ты опять сварил кофе, Зеб?

Рейчел присела рядом с ним, наблюдая, как его проворные руки строгают дерево. Ковбои любили крепкий кофе, но жаловались, что кофе, который готовит Зеб, больше похож на ведьмин отвар и настолько горький, что его невозможно пить. Рейчел знала, что они договорились не разрешать Зебу варить кофе.

Глаза старика радостно блеснули, как всегда бывало, когда его хозяйка обращалась к нему.

— Да, мисс Рейчел, сварил! Чарли и Бад жалуются, что им потом неделю приходится выковыривать из зубов осадок, но тем не менее они его пьют. Хотите чашечку?

— Нет, спасибо, — усмехнулась Рейчел.

Пожав плечами, Зеб продолжил свое занятие.

Рейчел посмотрела вверх, наблюдая за струйкой дыма, вьющейся из трубы. Ей не хотелось возвращаться домой, потому что там были Делия и Уит. Сегодня Рейчел намеренно избегала их, зная, что Делия начнет расспрашивать, почему она вчера вечером ушла из ратуши с Ноублом. А ей не хотелось ни с кем говорить о нем — особенно с сестрой.

— В этом году зима начнется рано, мисс Рейчел, и будет скверной — хуже чем в пятьдесят третьем, — пробормотал Зеб, продолжая вырезать лошадь. Его узловатые руки были способны творить чудеса. Он годами дарил Рейчел свои изделия и гордился тем, что она ставит их на полку в кабинете на виду у всех.

Рейчел никогда не сомневалась в прогнозах погоды, сделанных Зебом. Он редко ошибался.

— После такого жаркого лета я готова терпеть любой холод, — отозвалась она, с тоской глядя на безоблачное небо.

— Я слышал, танцы вчера прошли неплохо.

— Да, верно.

Старик внимательно посмотрел на нее. Он знал Рейчел всю жизнь и мог позволить себе то, на что не осмелились бы другие работники.

— Говорят, там был Ноубл Винсенте...

Рейчел опустила глаза:

— Очевидно, ты знаешь также, что я танцевала с ним, а потом мы вместе вышли на улицу.

Зеб ухмыльнулся:

— Об этом я тоже слышал. Некоторые говорят, что вы ему приглянулись, мисс Рейчел.

— Зато он мне не приглянулся!

— Но вы больше не думаете, что он застрелил вашего отца?

— Нет. Теперь я уверена, что он этого не делал. — Она посмотрела старику в глаза. — А ты думаешь иначе?

— Никогда не думал. Чего ради Ноублу убивать вашего отца? Мне он всегда нравился — еще когда был мальчишкой. И нравится до сих пор.

— Ты видел Ноубла после его возвращения?

— Конечно. Он не задирает нос, как могли бы подумать те, кто его не знает. — Старик с гордостью добавил: — Мы по-прежнему называем друг друга по имени: он меня — Зеб, а я его — Ноубл.

— Когда же ты его видел?

Зеб задумчиво провел рукой по щетине на подбородке.

— Дайте вспомнить... В тот день, когда я рыбачил на реке. Ноубл подошел ко мне, и мы с ним поболтали.

— Обо мне?

Он начал строгать быстрее.

— Нам и без вас есть о чем поговорить. Кроме того, Ноубл — джентльмен и не станет болтать о леди, во всяком случае, о ее личных делах. Он просто спросил, не нужна ли нам помощь на ранчо, и сказал, чтобы я дал ему знать, если что-нибудь понадобится.

Рейчел с недоверием уставилась на Зеба.

— По-твоему, это не личные дела? Ноубл слишком много на себя берет! Неужели он думает, что я нуждаюсь в его помощи и приняла бы ее? — Ее глаза сердито блеснули. — И что ты ему ответил?

Зеб усмехнулся, не прерывая работу.

— Что вы разозлитесь, если я это сделаю.

— И правильно! Какое право имеет Ноубл Винсенте вмешиваться в мою жизнь?! — Голос Рейчел дрожал от гнева.

— Он просто хороший сосед, — заметил Зеб.

В этот момент к ним подошел Бад Кейди и прикоснулся к шляпе.

— Мэм, сегодня мы загнали еще дюжину заблудившихся коров.

Рейчел постаралась выбросить из головы мысли о Ноубле и посмотрела на угловатое лицо Бада. Как и другие ковбои в «Сломанной шпоре», он относился к ней слегка покровительственно, но старался не показывать этого, так как она была его хозяйкой.

— Их заклеймили? — спросила Рейчел.

Бад кивнул:

— Да, мэм. Заклеймили и устроили на ночь.

Он вошел в общежитие, но вскоре вернулся на крыльцо с чашкой кофе в руке.

— Славный вечерок, не так ли, мисс Рейчел?

— Да, вообще мне нравится это время года, — отозвалась она. — Папа тоже любил осень.

— А мне больше по душе лето. — Зеб внимательно следил, как Бад подносит чашку ко рту. —

В холодную погоду у меня болят кости. Правда, этот год был сухой, поэтому я не так сильно мучился.

Бад сделал глоток, вздрогнул и закрыл глаза.

— Зеб, ты опять сварил кофе?

Торжествующий вопль Зеба, должно быть, слышали в большом доме.

— Сварил, и ты его выпьешь, Бад, если ты настоящий мужчина.

Рейчел невольно улыбнулась. Что бы она делала без этого доброго и озорного старика? Только с ним она могла быть самой собой. Хотя иногда ей казалось, что Зеб знает ее слишком хорошо.

Из кораля вышли еще несколько ковбоев и кивнули Рейчел, почтительно сняв шляпы.

— Кофе на плите. — Зеб бросил на них беглый взгляд и расхохотался, когда они вошли в общежитие.

— Ты безнадежен, Зеб, — вздохнула Рейчел.

Старик ухмыльнулся, продемонстрировав беззубые десны.

* * *

Когда Рейчел вернулась в дом, уже наступила ночь. Она поднялась в кабинет, радуясь, что Делия и Уит уже легли спать. Если они уедут утром, как собирались, то она проведет в их обществе всего несколько минут.

Рейчел стояла над обшарпанным письменным столом отца, чувствуя себя одинокой и растерянной. После его гибели она долго ощущала присутствие отца в кабинете, где он проводил за книгами так много времени, но теперь это ощущение исчезло. Рейчел попыталась восстановить его, проведя рукой по столу, но ничего не вышло. Внезапно ей пришло в голову, что столь живыми воспоминаниями об отце она была обязана тому, что винила Ноубла в его смерти и мечтала о мести. Теперь же, когда она знала, что Ноубл невиновен, для ненависти больше не оставалось места.

Рейчел закрыла глаза, тщетно стараясь не думать о Ноубле. Ждал ли он ее у реки прошлой ночью? Знал ли о том, как ей хотелось прийти к нему?

— Рейчел, я оставила тебе ужин на плите. — Уинна Мей заглянула в кабинет. — Ты выглядишь утомленной. Поешь и ложись спать.

— Я не голодна.

— Все равно поешь хотя бы немного.

Рейчел устало кивнула. Спорить с Уинной Мей было бесполезно.

— Твоя сестра и ее муж пошли спать около часа назад, — сказала Уинна Мей, обладавшая сверхъестественной способностью читать чужие мысли.

Когда Рейчел направилась в кухню, экономка последовала за ней и поставила на стол тарелку.

— Они все еще собираются уехать завтра?

— Делия говорила, что да.

Рейчел чувствовала себя настолько измученной, что ей хотелось положить голову на стол и заснуть. Но она видела, что Уинна Мей наблюдает за ней.

— Съешь немного мяса и выпей молока. Нельзя ложиться спать на пустой желудок. Насколько я понимаю, ленч ты пропустила.

Скорее из стремления доставить удовольствие экономке, чем из чувства голода, Рейчел съела два кусочка говядины и выпила стакан молока. Потом она встала и двинулась к двери.

— Ну что, Уинна Мей, я хорошая девочка? — спросила она, выходя из кухни.

— Да уж получше той парочки наверху, — пробормотала экономка себе под нос.

Луна освещала спальню Рейчел, поэтому она не стала зажигать лампу. Стащив с ног сапоги, она сняла брюки и рубашку и аккуратно повесила их на спинку стула. Рейчел предпочитала носить мужскую верхнюю одежду, но женская сторона ее натуры требовала, чтобы нижнее белье было тонким. Она расстегивала бюстгальтер, когда вдруг услышала какой-то звук.

— Это ты, Делия?

Из угла комнаты к ней двинулась черная тень. Это был мужчина! Она не видела его лица, но у нее мелькнуло в голове, что мужчина не является незваным в спальню женщины, если не имеет дурных намерений.

— Кто вы?

Сильные пальцы стиснули ее руку. Рейчел почувствовала запах виски и поняла, кто это.

— Уит? Что ты делаешь в моей спальне?

— А ты не знаешь?

— Моя сестра заболела? Я нужна ей?

— Ты нужна мне! — ответил Уит. — Нужна уже давно. Не говори мне, что ты не замечала, как я схожу с ума по тебе.

Рейчел вырвала руку; ее сердце бешено колотилось.

— Убирайся из моей комнаты, не то я позову сестру, — пригрозила она.

— Делия тебя не услышит, — усмехнулся Уит и подошел ближе. — Твоя сестра выпила слишком много превосходного виски из запасов вашего отца. — Он снова зловеще усмехнулся. — Я тоже получил свою долю.

— Делия никогда не напивается! — возмущенно воскликнула Рейчел, но вдруг осознала то, в чем боялась себе признаться: ее сестра пьет слишком много.

Злобно расхохотавшись, Уит схватил ее за плечи.

— Ты не знаешь, что вытворяет твоя сестрица. Но я не хочу говорить о ней. — Он поцеловал ее в шею. — Разве ты не догадываешься, что половина мужчин в округе сохнет по тебе? Ты нарочно шляешься повсюду в обтягивающих брюках, чтобы подзадорить их.

— Еще чего! Убирайся отсюда! Ты спятил!

— Да, спятил от желания заполучить тебя.

Рейчел с отвращением оттолкнула его.

— Пошел вон!

Уит только усмехнулся — он был гораздо массивнее Рейчел и даже не покачнулся от ее толчка.

— Немедленно уходи — тогда моя сестра никогда не узнает, что ты был здесь. — Ее голос звучал неуверенно: она начала чувствовать страх. — Ты пьян и должен проспаться.

Уит с быстротой молнии метнулся к Рейчел и привлек ее к себе.

— Думаешь, Делию заботит то, что я делаю? Ей нужно только одно: чтобы я удовлетворял ее в постели. — Его рука запуталась в волосах Рейчел. — Тебя я тоже смогу удовлетворить. Ты будешь кричать, прося добавки!

Рейчел казалось, что ее вот-вот стошнит. При свете луны она видела глаза Уита, его угрожающий взгляд был холоднее северного ветра, дующего на равнинах Техаса.

— Убери от меня свои грязные лапы! — Рейчел вырвалась и отступила на несколько шагов в надежде добраться до двери, прежде чем он схватит ее снова. — Если ты еще раз притронешься ко мне, я тебя убью!

Уит бросился на нее, как бешеный бык, и повалил на пол. Рейчел отбивалась изо всех сил, но он был слишком силен для нее. Она могла закричать, но кто бы ее услышал?

— Я долго поджидал тебя здесь и видел, как ты раздеваешься. Мне хотелось сорвать с тебя одежду, но я был терпелив и теперь получу свое. — Стиснув ее запястья, он заломил ей руки за голову. — Ты будешь принадлежать мне, как принадлежала Ноублу Винсенте!

— Ты с ума сошел! Ты сам не знаешь, что говоришь!

На его губах мелькнула злобная усмешка.

— Ноубл спал с тобой и спал с моей женой. Будет только справедливо, если мы поделим между собой всех наших женщин.

Уит буквально излучал злобу. И почему только она раньше не замечала в нем этого?

Рейчел снова попыталась сбросить с себя Уита, но он разорвал тонкую ткань ее сорочки, стиснул грудь и прижался к губам горячим скользким ртом. Рейчел задыхалась от запаха виски. Парализованная страхом, она прекрасно понимала, что сейчас произойдет. Уит собирался совершить над ней насилие в ее же доме, где ее сестра спала в соседней комнате, и никто не мог ей помочь.

— Пожалуйста, не надо! — взмолилась Рейчел, отвернувшись. — Оставь меня в покое!

Но Уит уже возился со своими брюками.

Рейчел знала, что будет бороться до последнего. Она рванулась изо всех сил, и тогда Уит ударил ее по лицу так, что она почувствовала вкус собственной крови.

— Лежи спокойно! Я сделаю с тобой то, о чем мечтал каждый раз, когда видел тебя. Со мной тебе будет лучше, чем с этим ублюдком Ноублом.

В этот момент дверь открылась, и в комнату проник луч света. Увидев силуэт Уинны Мей, державшей лампу, Рейчел крикнула:

— На помощь!

Уит застыл с приспущенными брюками.

— Какого черта?..

— Мисс Рейчел, — заговорила Уинна Мей так спокойно, словно обсуждала погоду, — я оставила молоко на плите. Вам нужно что-нибудь еще?

Уит поспешно поднялся, натягивая брюки.

— Рейчел сама позвала меня сюда! Она сама на это напросилась... — Подойдя к экономке, он прошипел: — На вашем месте я бы не рассказывал об этом моей жене. Делии незачем знать, что ее сестра — шлюха.

Уинна Мей говорила очень тихо, и тем не менее ее голос проник в одурманенное алкоголем сознание Уита:

— Если вы еще раз хотя бы подойдете к Рейчел, я убью вас. Мы, индейцы, умеем управляться с такими, как вы, для начала отрезая им кое-что.

Уит повернулся и вышел в коридор — его спотыкающиеся шаги вскоре стихли за дверью спальни Делии.

Рейчел все еще не пришла в себя после удара. Поднявшись с пола, она рухнула на кровать, дрожа всем телом.

Уинна Мей поставила лампу на стол, подошла к Рейчел, убрала волосы с ее лица и нахмурилась при виде кровоточащей губы и синяка на щеке.

— Он добился своего? — спросила она, прикрыв Рейчел одеялом.

Всхлипывая, Рейчел обняла экономку.

— Нет, но добился бы, если бы ты не пришла вовремя. Я ненавижу его! Никогда в жизни я так никого не ненавидела! Бедная сестра — она вышла замуж за чудовище. Неудивительно, что Делия пьет слишком много...

Уинна Мей прижала ее к себе и принялась укачивать, как ребенка.

— Тише! Больше он тебя не обидит. Я с тобой. Постарайся заснуть.

Но Рейчел сбросила одеяло и вскочила с кровати.

— Я не могу спать! Я чувствую на себе его руки... — Она обхватила себя за плечи, пытаясь унять дрожь.

— Дорогая, ты перенесла шок и должна поспать.

— Как я могу спать под одной крышей с этим человеком?! — В голосе Рейчел звучал панический ужас. — Я хочу, чтобы он немедленно убрался из «Сломанной шпоры» и никогда сюда не возвращался.

— Тебе нужно поспать, — повторила Уинна Мей. Откинув покрывало, она снова уложила Рейчел и укрыла ее. — Я побуду здесь на случай, если понадоблюсь тебе.

— Ты не уйдешь?

— Конечно, нет.

Рейчел наконец заснула. Она просыпалась несколько раз, боясь, что Уит опять окажется в ее спальне, но при виде Уинны Мей засыпала вновь.

19.

Рейчел проснулась от солнечного света. Вспомнив о том, что случилось ночью, она побледнела и испуганно огляделась вокруг. Ей казалось, что в борьбе с Уитом она истощила всю энергию, и теперь чувствовала себя обмякшей, как тряпичная кукла.

До прошлой ночи Рейчел никого не боялась и не сознавала, что могут возникнуть ситуации, когда она окажется совершенно беспомощной. Уит наверняка захочет с ней расквитаться. Но теперь она будет настороже и всадит пулю ему в башку!

Дверь открылась, и вошла Уинна Мей, неся поднос с завтраком.

— Я подумала, что тебе лучше поесть в кровати и поспать еще часок.

Рейчел молча покачала головой.

— Они уехали на рассвете. Делия просила передать, что напишет тебе.

— А Уит?

— Никогда не видела человека, который бы так торопился уехать. Делия хотела разбудить тебя и попрощаться, но он потащил ее вниз к экипажу. — Экономка улыбнулась. — Очевидно, у такой важной персоны, как Уит Чандлер, всегда много дел. — Она поставила поднос на колени Рейчел. — Ешь!

— Я не голодна.

— Вчера ты почти ничего не ела, так что тебе нужно позавтракать.

Рейчел со вздохом повиновалась.

— Ты должна выкинуть из головы прошлую ночь. — Уинна Мей села в кресло-качалку, принадлежавшую матери Рейчел. — Больше он не подойдет к тебе — я об этом позабочусь. Если бы кто-нибудь из наших ковбоев узнал, что произошло, они бы расправились с ним по-индейски — кастрировали бы его.

Глаза Рейчел испуганно расширились.

— Не рассказывай им ничего! Никому не говори, что здесь случилось!

— Конечно.

Рейчел подцепила вилкой кусок яичницы.

— Я думаю о Делии. Она замужем за монстром, и мне жаль ее.

— Делия не нуждается в твоей жалости, — с обычной прямотой заявила Уинна Мей. — Она знала, чтó делает, выходя за Уита.

Рейчел вспомнила, что сестра говорила ей почти то же самое. Она отодвинула поднос и откинулась на подушку.

— Я всегда думала, что заниматься любовью чудесно. Но Уит показал мне, что ничего чудесного в этом нет. — Озноб пробежал у нее по спине. — Это было так мерзко!

— Но ведь это не любовь. — Глаза Уинны Мей засияли, словно она вспомнила что-то очень хорошее. — Настоящая любовь прекрасна.

Рейчел подумала о Ноубле и закрыла глаза.

— Хотелось бы тебе поверить.

Сбросив одеяло, она подошла к окну, посмотрела на дальний горизонт и набрала воздух в легкие, стараясь забыть тошнотворные прикосновения Уита. Какие же муки терпит ее сестра, живя с этим человеком!

— Я хочу верить, Уинна Мей, что существует любовь, дарящая радость и душе, и телу. Но после того, что случилось ночью...

— Я знала такую любовь, — тихо сказала экономка.

Рейчел подошла к кровати и села, удивленно глядя на Уинну Мей. Она пыталась представить ее с мужчиной, но это было очень трудно.

— Ты любила кого-то?

Уинна Мей закрыла глаза:

— Моя любовь была так чиста и прекрасна, что она остается со мной спустя все эти годы.

— Расскажи мне, — попросила Рейчел.

— Я никогда не рассказывала об этом ни одной живой душе, так что это будет нелегко. — Некоторое время Уинна Мей молчала, погрузившись в воспоминания. — Мой отец был белым человеком, охотником на бизонов, а моя мать была из племени кайова. — Она сделала паузу, собираясь с мыслями. — Меня назвали в честь матери моего отца. Он уехал, когда я была ребенком, и не возвращался до той весны, когда мне исполнилось шестнадцать. Моя мать умерла, и надо отдать справедливость моему отцу — он сделал то, что считал правильным: отдал меня в школу-интернат. Там я чувствовала себя жалкой. Все другие девочки были белыми и либо смеялись надо мной, либо не обращали на меня никакого внимания. Я старалась хорошо учиться и никого не замечать. Эти годы не прошли даром, так как я получала хорошее образование.

Рейчел коснулась руки экономки:

— А что было потом?

— Через два года я поняла, что больше не выдержу там ни одного дня, сбежала из школы и вернулась к народу моей матери. Там я встретила Одинокого Волка. Он был таким красивым и смелым, что я полюбила его с первого взгляда.

— А он любил тебя?

— Сначала я так не думала. Я была одинокой женщиной и не пользовалась особым уважением. В суровом индейском мире такая женщина долго не проживет. Меня могло спасти, только если бы кто-нибудь захотел на мне жениться, но я не слишком верила в это. — Она улыбнулась, и ее взгляд смягчился. — Я была так счастлива, когда

Одинокий Волк попросил меня стать его женой! Он считался могучим воином, но со мной был ласковым и нежным. Его не смущало, что я наполовину белая. Три года, которые я провела с ним, были самыми счастливыми в моей жизни.

Рейчел почувствовала перемену настроения Уинны Мей и взяла покрытые шрамами руки экономки в свои. Она ощущала ее печаль, как собственную.

— Не рассказывай больше, если не хочешь.

— Я хочу, чтобы ты все знала. — Несколько секунд Уинна Мей молча смотрела на нее. — Когда я лежала в объятиях моего мужа и наши тела сливались воедино, это было чудесным и драгоценным даром. Его любовь помогала мне переносить все тяготы жизни.

— Что же случилось с Одиноким Волком?

— У нас был сын, — печально улыбнулась Уинна Мей. — Он был смуглым, как отец, и Одинокий Волк гордился им. Он сажал его перед собой, когда проезжал верхом по деревне, чтобы все видели, какой у него замечательный сын. Мы назвали его Молчаливым Койотом, потому что он никогда не плакал. Конечно, стань он постарше, ему пришлось бы заслужить это имя.

Рейчел опустила взгляд, страшась того, что ей предстояло услышать.

Уинна Мей тяжко вздохнула:

— В тот день я встала рано и отправилась в горы собирать ягоды. Мой муж и сын еще спали. Уходя, я не знала, что вижу их в последний раз.

Рейчел отвернулась к окну, уговаривая себя не плакать, но слезы уже текли по ее щекам.

— Вернувшись в деревню около полудня, я нашла там только тлеющую золу и мертвые тела. Я видела в своей жизни достаточно, чтобы понять: синие мундиры напали на деревню и увели в плен тех, кого не убили. — Ее плечи поникли, и она умолкла, как будто не находила слов, чтобы выразить свое горе. — Наш вигвам сожгли, и я долго рылась в раскаленном пепле, пытаясь найти мужа и сына.

Рейчел посмотрела на руки Уинны Мей. Так вот откуда эти шрамы!

— И ты не нашла их?

Экономка покачала головой:

— Среди множества обгорелых трупов было нелегко кого-то опознать. Надеясь, что их забрали в плен, я шла много дней и ночей без пищи по следу белых солдат. Наконец я добралась до форта и спросила о муже и сыне, но солдаты прогнали меня. Один добрый человек — кажется, сержант — вышел ко мне и сказал, что тех, кого не убили, отправили в резервацию. Он объяснил, где это находится, и я снова шла много дней, пока не добралась туда. Однако никого из моего племени там не оказалось — как будто все они погибли в тот день... А может быть, земля разверзлась и поглотила их.

— Тебе так и не удалось их найти? — спросила Рейчел, глотая слезы.

— Я искала все лето и всю осень. Прошло не знаю сколько лет, а я все продолжала поиски, но все следы оказывались ложными. Однажды зимой на меня напали несколько охотников на бизонов. Не стану говорить, что они со мной сделали, но после этого я хотела умереть и умерла бы, если бы твой отец не подобрал меня и не привел сюда. Я больше не плачу, потому что у меня не осталось слез. — Уинна Мей стиснула руки Рейчел. — Я рассказала о себе, чтобы ты знала, какой прекрасной может быть любовь. Она бывает разная — такая, какую я испытывала к мужу и сыну, и такая, какую я почувствовала к девочке, которая была одного возраста с моим сыном. Ты стала мне дочерью, Рейчел. Заботиться о тебе было для меня утешением. Уиту повезло, что я не вырвала у него сердце прошлой ночью!

Рейчел положила голову на плечо Уинны Мей и горько заплакала. Экономка обняла ее.

— Не плачь обо мне, Рейчел. Я пережила такую сильную любовь, что она до сих пор остается в моем сердце.

Рейчел могла лишь догадываться, чего стоило Уинне Мей рассказать свою историю.

— Может быть, нам удастся как-нибудь узнать о твоем муже и сыне?

Экономка покачала головой:

— В самом начале поисков я выяснила, что в армии не велось никаких записей об индейских пленниках. В их книгах указан только пол — индеец или индеанка. Я давно смирилась с тем, что они оба мертвы.

— Но должен быть какой-то способ точно убедиться в этом. Если бы мы знали какого-нибудь влиятельного человека. Ноубл мог бы помочь... — Рейчел покачала головой. — Хотя нет, он не пользуется влиянием в армии янки.

— Они мертвы, — повторила Уинна Мей. Ее

голос был спокойным, но в глазах застыла такая боль, что у Рейчел чуть не разорвалось сердце.

— Я рада, что папа привел тебя к нам. «Сломанная шпора» всегда будет твоим домом.

— Знаю. — Экономка вытерла слезы Рейчел своим фартуком. — Я также знаю, что ты особенная девушка, Рейчел. В один прекрасный день ты обретешь любовь, достойную тебя. Береги ее, сколько бы она ни длилась — день, год или всю жизнь.

— А если мужчина, которого я полюблю, не полюбит меня?

— Такое тоже случается. Жизнь не дает никаких обещаний, и ничего нельзя знать наверняка.

— Тогда как же я узнаю, настоящая ли это любовь?

Уинна Мей встала и взяла со стола поднос.

— Не беспокойся — ты узнаешь это.

* * *

Несмотря на то, что наступила осень, дожди перепадали редко, и ужасная засуха продолжала терзать Западный Техас. Земля трескалась от жары. Непрекращающийся ветер поднимал тучи пыли, что приводило к разрушительным песчаным бурям. Иногда эти бури продолжались несколько дней, и тогда небо делалось черным, как в грозу, а люди и животные спасались, кто где мог.

Уровень воды в Брасос стал угрожающе низким — в некоторых местах река пересохла вовсе. Скот погибал от жажды, сарычи кружили в небе, держа вахту смерти и поджидая, когда очередное несчастное животное падет жертвой безжалостных стихий.

Рейчел и Бад с восхода солнца рыскали по пастбищам в поисках пропавшего быка Самсона — гордости стада. Самсон принадлежал к выносливой мексиканской породе, и Рейчел надеялась, что его потомство будет лучше других приспособлено к суровому климату Западного Техаса.

Полдень уже миновал. Заслоняя ладонью глаза от света, Рейчел вглядывалась в тень каньона, где мог прятаться Самсон.

— Бад, ты ищи по краям каньона, а я поскачу через реку. Если найдешь быка, выстрели дважды, и я сделаю то же самое.

— Да, мэм. — Бад коснулся шляпы, пришпорил лошадь и скрылся в ущелье.

Рейчел поехала к реке по крутому склону, вглядываясь в землю в поисках следов. Примерно через час она придержала лошадь, услышав какой-то звук. Вскоре звук повторился — в нем нельзя было не узнать тревожное мычание быка. Рейчел поскакала вдоль реки, пока не увидела Самсона. Бык попал в беду — очевидно, он хотел пересечь реку, но угодил в зыбучий песок и чем больше пытался выбраться, тем сильнее увязал.

Рейчел ловко набросила веревочную петлю на рога Самсона. Прикрепив конец веревки к седлу, она погнала лошадь вперед, но бедное животное было не в состоянии сдвинуть с места обезумевшего от страха быка. Самсон упирался изо всех сил, увязая все глубже.

Спрыгнув с лошади, Рейчел стала сама тянуть веревку. Она решила до последнего бороться за жизнь быка, но ситуация выглядела безнадежной. Внезапно конец, прикрепленный к седельной луке, треснул, и Рейчел едва успела удержать оторвавшуюся веревку. Она не могла выстрелить и предупредить Бада, потому что тогда пришлось бы отпустить веревку, а без помощи лошади ее все ближе притягивало к зыбучему песку.

Рейчел упиралась каблуками в пересохшее речное русло, пряди волос, выбившиеся из-под шляпы, слепили ей глаза. Она стряхнула с лица волосы, стиснула зубы и изо всех сил дернула веревку.

— Ты должен помочь мне, Самсон!

Рейчел была настолько поглощена спасением быка, что, оказавшись в опасности, слишком поздно это осознала. Веревка так туго обвилась вокруг ее рук, а Самсон тянул ее к себе с такой силой, что она не могла освободиться. Несмотря на яростное сопротивление, ее дюйм за дюймом притягивало к смертоносной трясине.

Страх заставил Рейчел бороться с удвоенной силой, но бык неожиданно рванулся, и она упала лицом в грязь. Рейчел знала, что чем больше будет барахтаться в зыбучем песке, тем быстрее ее засосет. Она пыталась сохранять спокойствие, но веревка, соединяющая ее с Самсоном, увлекала ее в трясину вместе с ним...

Внезапно в воздухе мелькнул нож — кто-то бросил его, чтобы перерезать веревку.

— Не двигайся, Рейчел! — предупредил ее Ноубл. — Сейчас я освобожу тебя.

Он осторожно подобрался к Рейчел, поднял ее на руки и вынес на берег.

Она была спасена! Рейчел устало опустила голову на плечо Ноубла, но тут же вспомнила о быке.

— Ты должен помочь Самсону!

Ноубл поставил ее на твердую почву; по лицу его Рейчел видела, что он очень сердит. Тем не менее Ноубл накинул веревку на рога Самсона, потом достал вторую веревку и сделал то же самое. Конец первой веревки он прикрепил к своему седлу, а конец второй — к седлу Рейчел. Объединенными усилиями двух лошадей многострадальный Самсон был извлечен из трясины. Когда Ноубл снял веревки, бык поднялся на ноги и поплелся в заросли на берегу.

Повернувшись к Рейчел, Ноубл сердито посмотрел на нее:

— Как можно делать такие глупости, Рейчел? Что бы с тобой было, не окажись я поблизости?

Рейчел чувствовала себя ребенком, которого распекают за какую-то оплошность.

— Я знаю, что это глупо. Просто я не подумала...

— Вот-вот, — кивнул Ноубл, сматывая веревки. — В том-то вся и беда, что ты всегда бросаешься навстречу опасности, не думая о последствиях.

— Не говори со мной так. Мне это не нравится.

— Неужели?

— Представь себе. — Рейчел поднесла руку к лицу и с ужасом осознала, что оно покрыто грязью. — Спасибо за помощь. Больше я в тебе не нуждаюсь.

Он покачал головой:

— Ты постоянно нуждаешься в ком-то, кто бы присматривал за тобой. Но чтобы удержать тебя от неприятностей, нужно посвятить этому целую жизнь.

Рейчел нахмурилась, отряхивая грязь с одежды.

— Я сама могу о себе позаботиться.

— Ну, конечно, — снисходительно усмехнулся Ноубл. — Сегодня ты это доказала.

Рейчел шагнула к лошади, но у нее задрожали ноги. Она все еще не пришла в себя от страха, но не хотела, чтобы Ноубл знал об этом.

Он взял ее за руку и подвел к камню, возле которого собралась вода.

— Умойся, чтобы не возвращаться домой в таком виде.

Рейчел избегала его взгляда, зная по опыту, что эти влажные глаза обладают даром соблазнять и заставлять повиноваться. Ей хотелось, чтобы Ноубл поскорее убрался прочь. Он был свидетелем ее унижения — и последним человеком, которому она хотела быть обязанной.

— Можешь ехать дальше.

Усмехнувшись, Ноубл взял лошадь за повод.

— Хорошо, Зеленые Глаза.

Умываясь, Рейчел слышала, как Ноубл садился на лошадь.

— Я очень хотел снова встретиться с тобой у реки, Рейчел, но имел в виду не такую встречу.

Она свирепо уставилась на него:

— Отправляйся домой, или я...

Ноубл поднял руки вверх, изображая капитуляцию.

— Хорошо, сейчас поеду.

Он перестал улыбаться. Некоторое время они молча смотрели друг на друга.

— Я буду ждать тебя сегодня ночью, — сказал наконец Ноубл. — Ты знаешь место.

С этими словами он пришпорил коня. Рейчел смотрела ему вслед со смешанным чувством облегчения и сожаления.

— Я не приду, Ноубл! — крикнула она, но он уже скрылся из виду, и ее протест был унесен ветром.

Грязная и сердитая, Рейчел вскочила на лошадь и помчалась галопом в направлении «Сломанной шпоры». Пускай Ноубл ждет хоть всю ночь — она не придет к нему! На сей раз он выбрал не ту сестру — она не похожа на Делию.

Вернувшись на ранчо, Рейчел спешилась и передала поводья испуганному Зебу.

— Самсон попал в зыбучий песок. Сейчас с ним все в порядке, — объяснила она и отошла, прежде чем он успел задать хоть один вопрос.

20.

Солнце зашло уже несколько часов назад, и все легли спать, кроме Рейчел. Она сидела за письменным столом, склонив голову над гроссбухами, и пыталась сосредоточиться на колонках цифр, плясавших у нее перед глазами. Наконец она закрыла книгу, потушила лампу и направилась к лестнице, но остановилась, глядя на парадную дверь.

Рейчел думала о Ноубле, ожидающем ее у реки, — она не сомневалась, что этой ночью он будет там снова. Ей хотелось выбросить из головы мысли о нем, но это было невозможно. Он притягивал ее к себе так же сильно, как если бы находился с ней в этой комнате.

Ей так хотелось пойти к нему! Она словно пребывала в каком-то нереальном мире, но никогда еще не ощущала себя такой живой. Рейчел тряхнула головой, пытаясь совладать с собой, и прислушалась к ночным звукам — несмолкаемому стрекотанию сверчков, уханью совы, далекому вою волка и ответу волчицы. Она закрыла глаза и прислонилась к стойке перил, вонзив ногти в мягкое дерево.

Ноубл ждет ее у реки, как волк свою волчицу...

Решительно распахнув дверь, Рейчел побежала к конюшне. Вскоре она уже скакала в сторону реки. Ее сердце билось так быстро, что она едва могла дышать. Рейчел не знала, какая сила движет ею, но не собиралась отступать.

Луна на бархатном небе походила на яркий полированный шар. Теплый ветерок ласкал щеки Рейчел. Она мчалась по дороге, которая вела ее к Ноублу, и ничто не могло ее остановить.

Выехав на берег, Рейчел соскользнула с лошади. Ноубл сразу же шагнул ей навстречу.

— Я ждал тебя, как в ту ночь после танцев, — негромко сказал он. — Тогда ты не пришла, и я пробыл здесь до рассвета.

Ветер шевелил темные волосы Ноубла, шурша

листвой над их головами. Губы Рейчел дрогнули, а в глазах блеснули слезы.

— Но сейчас я здесь, — сказала она.

Ноубл протянул руки, и Рейчел бросилась в его объятия. Губы Ноубла жадно скользили по ее лицу, коснулись уха, ресниц и наконец прижались к ее рту.

— Рейчел, Рейчел... — шептал он. — Я так мечтал о том моменте, когда ты сама придешь ко мне. Только ты можешь заполнить пустоту в моем сердце!

Пальцы Рейчел запутались в черных волосах Ноубла. Она тонула и не пыталась спастись. Рейчел не думала о завтрашнем дне — для нее существовала только эта ночь, только руки Ноубла и его горячие губы...

Охваченная страстным желанием, Рейчел не протестовала, когда Ноубл начал раздевать ее. Неторопливыми, уверенными движениями он развязывал шнурки и расстегивал пуговицы, снимая с нее одежду. Как ни странно, она не почувствовала стыда, оставшись перед ним обнаженной.

— Как ты прекрасна! — прошептал Ноубл.

Он уложил ее на траву и лег рядом. В его темных глазах отражались звезды. Воздух наполнял аромат полевых цветов, колеблемых ветерком.

— Если ты этого не хочешь, скажи мне — и я остановлюсь, — пробормотал Ноубл, но Рейчел знала, что он не отпустит ее, даже если она об этом попросит.

Слегка повернув голову, Рейчел коснулась губами пульсирующей жилки на его шее, чувствуя, как в нее вливаются жизненные силы. Слышит ли он удары ее сердца? Она знала, что играет с огнем. Ноубл походил на зыбучий песок, едва не засосавший ее сегодня, но был гораздо опаснее.

Вместо ответа Рейчел протянула к нему руки, и Ноубл застонал, когда его тело коснулось ее. Он целовал и ласкал Рейчел, и она закусила губу, чтобы сдержать крик страсти, которую пробуждали в ней его руки, вызывая неведомые сладостные ощущения.

— Почему я чувствую это с тобой? — прошептала она.

— Потому что мы предназначены друг для друга, — ответил Ноубл. — Я знал, что это случится, в тот день, когда ты пришла на могилу моего отца. И ты тоже это знала.

— Да, — призналась Рейчел. — Знала, хотя и не осознавала. Я пыталась сопротивляться, но сегодня проиграла битву.

— Никто из нас не мог избежать этого момента, Рейчел. Если когда-то Ева была создана из ребра Адама, то ты создана из моего ребра.

Поднявшись, Ноубл снял рубашку и брюки и положил их на траву. Его обнаженное тело купалось в серебристом свете луны, и Рейчел невольно сравнила его с одной из статуй во дворе Каса дель Соль. Но он был прекраснее любого греческого бога и к тому же из плоти и крови, а не из холодного камня.

Ноубл склонился к Рейчел, и она прижалась к нему. Он был прав — они в самом деле предназначены друг для друга. Она впервые почувствовала это, когда ей было всего шестнадцать лет и

Ноубл подарил ей Фаро. Но тогда это была робкая девичья любовь, а сейчас — любовь зрелой женщины: глубокая, страстная и всепоглощающая. Странно, что ее сердце не подсказывало ей это в тот момент, когда она целилась в Ноубла из ружья и поняла, что не сможет выстрелить...

— Ты так нужна мне, Рейчел! — шептал он ей на ухо. — Признайся, что и я нужен тебе.

— Да, — отозвалась она. — Но я не хотела, чтобы это случилось.

— Зеленые Глаза! — Ноубл привлек ее к себе. — Это должно было случиться.

Раздвинув бедра Рейчел, он медленно проник в нее. Она застонала, когда Ноубл разрушил барьер ее девственности, и он остановился, давая ей возможность привыкнуть к неизведанному ощущению, потом начал осторожно двигаться снова.

Рейчел не представляла себе, что акт любви может быть таким чудесным. Она со стоном впилась ногтями в спину Ноубла, когда он ускорил темп, убедившись, что не причиняет ей боли.

Их тела сливались друг с другом, как луна и звезды, как ветер и листья деревьев, как земля и широкое техасское небо.

Когда наслаждение достигло наивысшей точки, Рейчел не выдержала и закричала. Ноубл гладил ее влажные волосы и целовал щеки. Потом они молча лежали в объятиях друг друга, как будто не находя слов, чтобы выразить, что с ними происходит.

— Я никогда раньше не испытывал ничего подобного, — заговорил наконец Ноубл.

Рейчел коснулась его лица кончиками пальцев. Чувство благодарности переполняло его. Уинна Мей была права — любовь может быть чудесной.

— А как же испанка, с которой ты обручен? — усмехнулась она.

— Это закончилось уже несколько лет назад. Я написал ее отцу и отклонил честь стать его зятем. Так как мы никогда не встречались с этой сеньоритой, не думаю, чтобы она сильно горевала. Возможно, она испытала такое же облегчение, как и я.

— Если бы она знала тебя, то ни за что бы не отпустила. — Рейчел посмотрела в его бархатные карие глаза, излучающие тепло.

— Скажи, что всегда будешь принадлежать мне! — потребовал Ноубл. Он не ожидал, что его чувство к Рейчел окажется настолько глубоким, и был готов хоть завтра жениться на ней.

Рейчел молчала. Внезапно она осознала, что́ произошло, и ей стало нестерпимо стыдно. Ведь Ноубл точно так же занимался любовью с ее сестрой, а когда она забеременела, бросил ее! Рейчел села и закрыла лицо руками — ей хотелось бежать и никогда не останавливаться. Образ Делии стоял между ними, как клинок меча. В итоге она оказалась ничем не лучше сестры.

Ноубл с недоумением наблюдал за ней.

— Что-нибудь не так, Зеленые Глаза? Я причинил тебе боль?

Ее ответ прозвучал подобно выстрелу:

— Расскажи мне о тебе и моей сестре!

Ноубл сжал губы. Рейчел видела, что он весь напрягся и как будто отдалился от нее.

— Так, значит, ты так и не поговорила обо мне с Делией? — В его голосе слышалось горькое разочарование.

— К чему? Я и без того знала, что произошло между вами. — Она снова посмотрела ему в глаза. — Если между тобой и ею ничего не было, ты бы давно сказал мне об этом. — Рейчел отвернулась от него и уставилась на реку. — А теперь все так запуталось...

— Ты винишь меня в том, что случилось этой ночью? — Он глубоко вздохнул. — Я не должен был торопить тебя. Нужно было подождать, пока...

— Нет. — Рейчел покачала головой, и длинные пряди волос упали ей на лицо. — Я пришла к тебе по своей воле и ни о чем не жалею. Даже мысль о тебе и Делии не остановила меня. Но теперь я могу думать только о моей сестре.

Ноубл нахмурился — он был явно оскорблен ее недоверием.

— И ты считаешь, что я способен бросить женщину, беременную от меня?

Рейчел встала — лунный свет играл на ее обнаженном теле.

— Делия не стала бы лгать нашему отцу.

Ноубл тоже поднялся.

— Неужели ты так ничего и не поняла? — Он протянул к ней руки. — Выходи за меня замуж, Рейчел!

Несмотря на решимость больше никогда не прикасаться к нему, Рейчел прижалась к его широкой груди. Он нежно поцеловал ее, поглаживая по спине. Но внезапно она отстранилась и шагнула назад.

— Я не могу быть твоей женой, Ноубл. Да и ты этого не хочешь. Ты просто стараешься исправить с моей помощью то, что сделал с Делией.

— Неужели ты в самом деле так обо мне думаешь?

Рейчел с трудом сдерживала рыдания. Нужно уходить, пока она еще может контролировать свои поступки!

— Ты никогда не отрицал, что был отцом ребенка Делии.

— Я просил тебя доверять мне и не раз советовал поговорить с сестрой о том, что между нами произошло.

Рейчел покачала головой:

— Мне нужно идти.

Ноубл снова привлек ее к себе:

— Я буду ждать тебя.

Рейчел подняла взгляд. Лицо Ноубла было в тени, но она все равно видела выражение горечи и боли в его глазах.

— Мы больше не должны встречаться, Ноубл.

Он сразу опустил руки и отступил назад.

— Даже если я обещаю не прикасаться к тебе? Только позволь мне иногда разговаривать с тобой.

— Не могу.

— Черт возьми, Рейчел, как мне заставить тебя понять?.. — Он оборвал фразу, подыскивая слова. — Я готов признать, что эта ночь была ошибкой. Я не мог сдержаться, потому что слишком сильно хотел тебя. Мне следовало проявить больше сдержанности.

Рейчел чувствовала себя так, словно ей плеснули в лицо холодной водой. Сердце пронзила мучительная боль.

— Я понимаю больше, чем ты думаешь, Ноубл.

— Нет, Зеленые Глаза, ты не понимаешь. Покуда твоя сестра стоит между нами, я не имел права... — Он снова умолк.

Рейчел казалось, что Ноубл физически отдалился от нее, погасив свои чувства, как гасят свечу. Быть может, Делия тоже однажды ощутила в нем такую же холодность?.. Слезы обжигали ей веки. Рейчел вытерла щеку, надеясь, что Ноубл этого не заметит.

— Я должна идти.

Они быстро оделись, не глядя друг на друга, а потом Ноубл снова встал перед Рейчел, не касаясь ее. В его красивых темных глазах застыла глубокая печаль.

— Обещай мне, Рейчел, что если тебе что-нибудь понадобится, ты обратишься ко мне.

Но Рейчел не могла ему этого обещать. Стоило ей взглянуть на него, она видела свою сестру в его объятиях.

— Прощай, Ноубл.

— Между нами не может быть никакого «прощай». Я буду ждать, пока ты не придешь ко мне.

— Значит, тебе придется ждать очень долго.

— Я знаю, что сюда ты больше не придешь, и буду ждать дня, когда ты явишься ко мне в Каса дель Соль.

Рейчел пожала плечами, не понимая, что он

имеет в виду. Сев на лошадь, она поехала через реку. Брасос разделяла их земли, как пропасть, которая выросла между ними.

Сможет ли она когда-нибудь пересечь ее снова?..

* * *

Ночью Рейчел преследовали кошмары. Ей снилось, что Ноубл обнимает и целует ее, но внезапно ее лицо превращалось в лицо Делии, и она стонала, как от боли.

— Нет, нет!

Рейчел села в кровати, дрожа всем телом и ощущая пустоту внутри. Обхватив руками колени, она опустила на них голову, стараясь унять сердцебиение. Внезапная мысль поразила ее: она любила Ноубла куда сильнее, чем когда-то ненавидела его. Но любил ли он ее? Иногда ей казалось, что по какой-то известной лишь ему причине он нуждался не в ее любви, а в ее прощении.

Но даровать прощение труднее, чем любовь. Прощать можно только по желанию, а любовь приходит сама собой.

Рейчел не жалела о том, что произошло между ней и Ноублом. Воспоминание об этом сохранится у нее до конца дней, хотя она больше никогда не позволит ему прикоснуться к ней.

Ноубл просил ее доверять ему. Но если бы она подчинилась, ей пришлось бы признать, что ее сестра лгала их отцу и эта ложь стала причиной его смерти. Подобная мысль была слишком мучительной, чтобы она могла ее допустить.

Рейчел было ясно одно: кто-то из них лгал ей. Но кто бы это ни был — Ноубл или Делия, — правда все равно разбила бы ей сердце.

* * *

Рейчел смотрела на розово-голубое небо в надежде увидеть дождевые облака, но ни одно из них не маячило на горизонте. Сняв кожаные перчатки, она сунула их за пояс, потом расстегнула верхнюю пуговицу блузки и засучила рукава. Было необычайно жарко для октября.

Остановив лошадь, Рейчел сдвинула шляпу на затылок, глядя на коров, которых загоняли в кораль для клеймения. Сегодня это происходило в последний раз, и ее сердце сжалось. Коров было так мало!

Тэннер подъехал ней:

— Всего сто сорок голов, мисс Рейчел.

Его слова подтвердили ее худшие опасения.

— Мы потеряли слишком много из-за засухи. Всех остальных придется продать, Тэннер. — Открыв флягу, Рейчел глотнула воды и побрызгала на лицо. — Травы недостаточно, чтобы накормить всех, а Зеб говорит, что не видел такого низкого уровня воды в реке последние тридцать лет.

— Нам не удастся выручить больше трех долларов за голову. — Тэннер внимательно посмотрел на Рейчел. — Конечно, янки могут дать и четыре...

Рейчел упрямо вскинула голову.

— Я скорее потеряю все, чем продам коров янки! — Она с тоской взглянула на ковбоев, клеймящих скот. — Если бы у нас было достаточно большое стадо, чтобы погнать его в Канзас-Сити... Там дают сорок долларов за голову.

— Сейчас слишком сухо, мисс Рейчел. Коровы бы этого не выдержали. А с таким маленьким стадом овчинка выделки не стоит.

— Знаю. — Она закрыла глаза, помолчала и наконец решилась: — Хорошо, продадим коров янки.

Тэннер кивнул:

— Я знаю, что это против ваших убеждений, мэм, но ничего не поделаешь.

— Сколько у нас ковбоев, Тэннер?

— Семнадцать, не считая Зеба и меня.

— Мне придется уволить по меньшей мере десять. Не хочу этого делать, но я не в состоянии им платить.

— Вы могли бы попросить их работать за меньшее жалованье.

— Это было бы несправедливо. Тридцать долларов, которые они получают в месяц, и так слишком мало.

— Я все им объясню, мисс Рейчел.

Она кивнула, понимая, что Тэннер сумеет решить, кого из ковбоев следует оставить.

— Только не увольняй тех, кто должен содержать семью.

Тэннер вздохнул, зная, как ей трудно увольнять преданных работников.

— Я все устрою. Они понимают, что сейчас тяжелое время.

Наблюдая, как клеймят последнюю корову, Рейчел думала о ковбоях, с которыми придется расстаться. Двое или трое из них были обычными бродягами, которые не задерживались на одном месте, — о них не стоило беспокоиться. Но другое дело те, кто работал здесь еще при жизни ее отца. Увольнять их было мучительно.

Рейчел повернула лошадь в сторону реки. Подъехав к Брасос, она устремила невидящий взгляд на пересохшее русло. Плечи ее поникли, опустив голову на шею кобылы, Рейчел перестала сдерживать слезы. Ее тело сотрясалось от беззвучных рыданий. Она плакала из-за ковбоев, которым придется покинуть ранчо, из-за Делии — и из-за страстного желания увидеть Ноубла.

Кроме всего прочего, в последнее время Рейчел начал преследовать страх потерять «Сломанную шпору». Самой неотложной проблемой были налоги. Многие соседи считали, что янки специально их повышают, таким образом наказывая Техас за его роль в войне. Двое фермеров в округе Мадрагон уже лишились своих ранчо. Кто станет следующим?

Рейчел окинула взглядом землю, которую так любила. Привычный образ жизни исчезал на глазах. Но техасцам приходилось выдерживать и худшее — пережили же они Гражданскую войну. Господство янки они тоже выдержат.

21.

Тонкие клочковатые облака висели между землей и небом — пустые облака, которые скоро исчезнут, не пролив ни капли целительной влаги на измученную землю.

Зеб нахмурился, глядя, как Рейчел слезает с лошади и идет к дому. С ней явно было что-то не так. Он передал поводья ее кобылы Джо — светловолосому веснушчатому мальчугану лет десяти, младшему сыну одного из ковбоев, — и догнал ее, прежде чем она шагнула на нижнюю ступеньку крыльца.

— Начинает холодать, мисс Рейчел, — заметил он, сунув руки в карманы. — Думаю, в этом году зима будет суровой.

— Ты всегда прав насчет погоды, Зеб. — Рейчел напряглась, зная, что он собирается затронуть тему, которую ей бы хотелось избежать. — Тэннер заплатил уволенным работникам?

— Да, пока вас не было. По крайней мере, некоторым.

— Что ты имеешь в виду?

— Некоторые из них решили остаться.

Рейчел опустила голову:

— Должно быть, я ужасная трусиха, раз не могла посмотреть им в глаза и сообщить плохие новости. Черт возьми, Зеб, я бы лучше отрубила себе руку, чем уволила их.

— Они это знают. Кроме того, нанимать и увольнять людей — не ваша обязанность. Для этого существует старший ковбой.

— Но я должна была по крайней мере...

Зеб догадался, что Рейчел терзает чувство вины, и перебил ее, сменив тему:

— Шорти и Дик решили попытать счастья в Калифорнии. Но другие сказали, что пока побудут здесь, так как им некуда ехать... — Старик поднял руку, не дав Рейчел заговорить. — Они знают, что сейчас вы не можете им платить, но все-таки останутся.

Рейчел уставилась на сплетенные пальцы Зеба, боясь, что заплачет, если посмотрит ему в лицо.

— Я восхищаюсь их преданностью, но не знаю, смогу ли когда-нибудь им заплатить.

— Вы ездили в банк?

Рейчел кивнула:

— Мистер Брэдли не может ссудить мне деньги. За последние две недели еще три фермера покинули свои ранчо, потому что не могли заплатить налоги, — Эвересты, Эйб Флетчер и Мастерсоны. — Она печально вздохнула. — Это все мои друзья...

— Что-то должно измениться, мисс Рейчел. Недаром мои кости так ломит — думаю, дождь пойдет со дня на день.

Она улыбнулась:

— Я верю твоим костям, Зеб, но едва ли дождь поможет нам сейчас. Так много людей нуждается в моей помощи, а я не в силах помочь даже самой себе. А больше всего мне бы хотелось помочь Уинне Мей найти ее семью.

— Их наверняка нет в живых.

— Так ты знаешь? Когда она рассказала тебе об этом?

— На следующий день после разговора с вами. Она сказала, что хочет, чтобы я тоже об этом знал.

Рейчел была удивлена, но подумала, что между Уинной Мей и Зебом есть нечто общее — оба не имеют семьи. К тому же Уинна Мей знала, что может доверять Зебу.

— Я чувствую себя как во сне, который видела

в детстве. Мои ноги увязали в патоке, и что-то страшное преследовало меня. Я пыталась бежать, но не могда сдвинуться с места.

— У меня сердце разрывается, когда я вижу, как вы барахтаетесь в одиночку. — Зеб шагнул к ней. — Знаете, я уже давно положил в банк приличную сумму и теперь хочу отдать ее вам, чтобы вы уплатили налоги. — Его глаза сияли, как у ребенка, предлагающего другу кусок леденца. — Мне деньги не нужны.

Рейчел протянула руку и коснулась морщинистой щеки старика.

— Спасибо, Зеб. Мне никогда не делали более щедрого предложения, но, боюсь, твоих денег не хватит. Налоги на «Сломанную шпору» составляют тысячу двести долларов — долларов янки.

Он свистнул сквозь два оставшихся зуба.

— Так много?

— Я тоже не могу этого понять. Это же просто нелепо! Но когда я говорила с налоговым инспектором, он сказал, что от него ничего не зависит. Деньги должны быть уплачены к концу месяца.

Зеб почесал за ухом:

— Через семнадцать дней...

— Вот именно. — Плечи Рейчел поникли. Она попыталась сосредоточиться на кружевном рисунке, который солнце отбрасывало на стену дома сквозь розовую шпалеру. — Не знаю, что мне делать, Зеб. Я могу потерять «Сломанную шпору». Кто будет ухаживать за могилами папы и мамы, если я уеду?

Старый ковбой смотрел, как Рейчел входит в дом, не зная, как ей помочь. Она не сможет собрать такую сумму ни через семнадцать дней, ни через семнадцать месяцев. Таких денег нет ни у кого, кроме... кроме Ноубла Винсенте. Но Рейчел придет в ярость, если он сообщит о ее неприятностях Ноублу. Старик медленно поплелся назад к конюшне, понимая, что должен что-то придумать.

* * *

Рейчел повесила шляпу и рассеянно бросила перчатки на диван.

— Я вернулась, Уинна Мей! — крикнула она. Экономка появилась, как всегда, бесшумно.

— Ты не достала денег?

Рейчел покачала головой.

— Проголодалась?

Она повторила тот же жест.

— Сегодня у тебя был посетитель — очень странный.

— Кто? — без особого интереса спросила Рейчел.

— Харви Брискал — бывший помощник шерифа в Таскоса-Спрингс.

Рейчел была озадачена.

— Терпеть его не могу. Зачем он приходил ко мне?

— Он не стал объяснять. Я сказала ему, что ты в городе, а он ответил, что подождет, так как должен с тобой поговорить. Я проводила его в гостиную и оставила там, так как мне нужно было развесить белье. Когда я вернулась в дом, его уже не было.

— Очевидно, дело было не слишком важным. — Рейчел начала медленно подниматься по лестнице. — Я только умоюсь и сразу спущусь.

Поднявшись наверх, Рейчел увидела, что дверь ее спальни закрыта, и это показалось ей странным. В жаркую погоду она всегда оставляла дверь открытой, чтобы воздух в помещении не застаивался. Пожав плечами, Рейчел вошла в комнату, сбросила пыльную одежду, вымыла лицо и руки и надела ситцевый халат. Она села на кровать, чтобы надеть туфли, и ее охватило жгучее желание лечь, закрыть глаза и забыть о своих огорчениях.

Рейчел откинулась назад, но, как только ее голова коснулась подушки, она услышала зловещее тарахтение, которое могла издавать только гремучая змея.

Кровь застыла у нее в жилах от смертельного ужаса. Медленно повернув голову, Рейчел уставилась в стеклянные глаза, словно изготовленные из желтого глазированного фарфора. Отметины на чешуйчатой спине рептилии имели форму кристалла. Это была алмазная гремучая змея, которая свернулась на постели, готовая к нападению и обнажившая смертоносные зубы.

Рейчел знала, что гремучая змея наносит удар с быстротой молнии, и ее укус почти всегда бывает роковым. С колотящимся сердцем и пересохшим ртом Рейчел ждала смерти, понимая, что спасения нет. Она слышала тиканье часов на каминной полке и лошадиное ржание, доносящееся через открытое окно. Время шло, но змея почему-то не нападала. Застыв от ужаса, Рейчел наблюдала за гротескным ритуалом — раздвоенный язык высовывался изо рта змеи, касаясь тыльной стороны ее ладони, и скрывался вновь. Отец как-то говорил ей, что гремучники нюхают языком. Страшное создание нюхало ее руку! К горлу подступила тошнота.

Потом Рейчел так и не могла понять, каким образом ей удалось так быстро вскочить с кровати и подбежать к окну, что змея ее не укусила. Высунувшись из окна, она громко закричала, зовя на помощь. К счастью, во дворе оказался Тэннер. Уже через несколько секунд он ворвался в спальню, за ним спешили Зеб и Уинна Мей. Рейчел прижалась к подоконнику, не сводя глаз с мерзкой рептилии, свернувшейся на ее кровати.

Когда Тэннер оказался между ней и змеей, она зажмурилась и, услышав два выстрела, даже не стала смотреть, попал ли он в цель: Тэннер никогда не промазывал.

— Здоровая гадина! — Тэннер поднял мертвую змею. — Должно быть, в ней больше шести футов.

— Каким образом змея поднялась по лестнице и что она делала на кровати мисс Рейчел? — Зеб задал вопрос, который вертелся в голове у всех.

— Ни одна змея не может подниматься по ступенькам, — ответил Тэннер. — Кроме того, в это время года змеи ищут место, где можно спрятаться подальше от людей.

Уинна Мей подошла к Рейчел и взяла ее дрожащие руки в свои.

— Пойдем вниз. — Она повернулась к Тэннеру. — Убери отсюда эту гадость. Зеб, унеси белье мисс Рейчел. Я перестелю ей позже.

Рейчел все еще дрожала, сидя за кухонным столом, когда Уинна Мей поставила перед ней чашку кофе.

— Выпей. Ты сразу согреешься.

Рейчел поежилась:

— Почему змея не укусила меня? Я лежала рядом с ней на кровати, и она касалась моей руки языком!

— Она тебя обнюхивала?

— Да.

— Создатель бережет тебя, Рейчел. Иначе ты сейчас была бы мертва.

Зеб вошел в кухню, положил на лавку белье Рейчел, сел за стол и налил себе кофе.

Рейчел сделала пару глотков, стараясь унять дрожь.

— Должно быть, кто-то подложил змею мне в комнату. Но кто? И почему?

Зеб и Уинна Мей обменялись взглядами.

— Харви Брискал мог это сделать? — спросил Зеб.

— Ему бы хватило на это времени, пока меня не было, — ответила Уинна Мей. — Придется подозревать его, если мы не узнаем что-нибудь еще. Не следует доверять никому, — добавила она.

Рейчел снова глотнула кофе, хотя сейчас она предпочла бы виски. Дрожь не проходила. Она с трудом понимала, о чем говорят Зеб и Уинна Мей.

— Третий раз за последние месяцы я смотрела в лицо смерти, — недоуменно произнесла она наконец.

Экономка и Зеб снова переглянулись.

* * *

В дверь негромко постучали. Уинна Мей открыла и с удивлением обнаружила на пороге Ноубла Винсенте со шляпой в руке.

— Сожалею, сеньор Винсенте, но мисс Рейчел нет дома. Две лошади вырвались из кораля, и она помогает загнать их назад.

— Знаю. Я пришел повидать вас. Могу я войти и поговорить с вами, Уинна Мей?

Она кивнула, недоумевая, что понадобилось от нее Ноублу Винсенте. Но лицо Уинны Мей было непроницаемым. Она привыкла скрывать свои чувства — сказывалась индейская кровь.

— Принести вам кофе или чего-нибудь покрепче?

— Нет, благодарю вас.

Экономка проводила Ноубла в гостиную и указала на кресло у окна. Однако он продолжал стоять, пока она не села.

— Чем я могу вам помочь, сеньор Винсенте? — вежливо осведомилась экономка.

— Я пришел помочь *вам*, если это возможно.

— Почему вы думаете, что я нуждаюсь в помощи?

Ноубл улыбнулся, и Уинна Мей подумала, что он самый красивый мужчина, какого она когда-либо видела. Едва ли любая женщина, независимо от возраста, могла остаться равнодушной к его обаянию.

— Расскажите мне о вашем муже и сыне.

— Что? Как вы о них узнали?

— Зеб сообщил мне. Надеюсь, вы не станете

его ругать — он просто хотел помочь Рейчел. Похоже, она не будет счастлива, пока не получит известий о вашей семье.

— Они мертвы. Вы ничем не в состоянии мне помочь.

— Возможно, они действительно мертвы, но я знаю человека, который может выяснить это точно. Я не утверждаю, что он разыщет вашу семью, но если кто-то способен это сделать, так именно он.

— И кто же этот человек?

Зная историю Уинны Мей, Ноубл поражался ее спокойствию.

— Нотариус из Нового Орлеана по имени Джордж Нанн, — ответил он. — Я ему полностью доверяю.

— По-вашему, он сумеет помочь мне?

— Не знаю, — честно ответил Ноубл. — Но что вам терять?

Экономка кивнула, понимая, что он прав.

— Я сообщу вам необходимые сведения, — сказала она.

Уинна Мей понимала, что Ноубл помогает ей ради Рейчел. Она видела это по его глазам, хотя он почти не уступал ей в умении скрывать свои чувства. Уинна Мей не сомневалась, что Ноубл влюблен в Рейчел, хотя не была уверена, понимает ли это он сам.

Экономка рассказала ему свою историю, и Ноубл внимательно ее слушал. Он не делал записей, запоминая наизусть имена и места. Когда она умолкла, он поднялся.

— Надеюсь, нам удастся помочь вам, Уинна

Мей. Но не буду вас напрасно обнадеживать — прошло слишком много времени. Как вы сказали, армия не хранит в своих архивах записей об индейских пленных.

Уинна Мей проводила Ноубла к двери.

— Я бы просил вас не говорить Рейчел о моем визите. Вы ведь знаете, какая она гордая.

Экономка открыла дверь и шагнула в сторону, пропуская его.

— Я ничего ей не скажу.

Уинна Мей смотрела вслед Ноублу и думала о том, что Рейчел была бы счастлива с ним. Но он прав, говоря, что Рейчел очень гордая, а гордость способна убить любовь. Хотя любит ли его Рейчел? Уинна Мей этого не знала.

* * *

Ноубл спешился возле телеграфной конторы, вошел внутрь и отправил телеграмму в Новый Орлеан Джорджу Нанну. Потом он пересек улицу и направился в офис шерифа.

Айра Гриншо сидел за столом, склонившись над бумагами. Он поднял голову, и его глаза весело блеснули.

— Очевидно, у тебя недостаточно дел в Каса дель Соль, если ты приехал в город мешать мне работать, — заметил он, но широкая улыбка свидетельствовала о том, что шериф рад видеть Ноубла.

— Я подумал, что вы можете растолстеть и облениться, возясь с бумажками, и решил вас отвлечь.

Айра откинулся на спинку стула, балансируя на его задних ножках, и покачал головой.

— За последние дни я слышал о тебе только хорошее. Меня уже тошнит от похвал, которые расточают по твоему адресу Джесс Мак-Ви и его жена. Скоро уже весь город поверит, что ты способен отрастить крылья и летать или даже ходить по воде.

Ноубл сел на шаткий деревянный стул напротив шерифа и скрестил руки на груди.

— Меня всегда удивляло, как быстро люди меняют мнения. Когда я только вернулся, они так меня ненавидели, что даже не хотели мне ничего продавать.

— Да, я понимаю, что ты имеешь в виду. — Айра отодвинул бумаги в сторону. — Так что привело тебя в город?

— До меня дошли скверные слухи, что налоги опять повысили и некоторые семьи вынуждены покидать свои ранчо. Это правда?

Шериф кивнул, его лицо омрачилось.

— Боюсь, что да. Во всем виновата остинская компания «Лэнд энд траст».

— Они спекулируют землей? Что вы о них знаете?

— Очень немногое. На прошлой неделе я написал налоговому инспектору и должен скоро получить ответ. Готов держать пари, что они наложили высоченный налог на Каса дель Соль.

— Вы бы выиграли.

— Но ты ведь можешь заплатить.

— Да, но многие другие не могут. — Ноубл внимательно посмотрел на шерифа. — Я хотел бы знать, действуют ли высокие налоги по всему штату или только в округе Мадрагон.

— Если тебе удастся это выяснить, ты меня перещеголяешь, — усмехнулся Айра. — Конечно, я не обладаю таким влиянием, как тот, кто носит фамилию Винсенте.

Ноубл улыбнулся.

— Вы скромничаете. — Он встал. — Я собираюсь побеседовать в банке с Томасом Брэдли и узнать, что ему известно о внезапном повышении налогов.

— Брэдли ничего не знает. Он в таком же ужасе от всего этого, как и все мы. Два его брата потеряли свои земли.

Остин, Техас.

— Ну и что ты сделал? — Уит с недоверием уставился на Харви Брискала.

— Подложил ей в спальню здоровенную гремучку. Наверху было четыре комнаты, но я сразу нашел нужную. Я подумал, что змея будет получше, чем пуля.

— Болван! По-твоему, Уинне Мей не хватит ума догадаться, что это твоих рук дело? Черт возьми, неужели мне придется делать все самому?!

— Вы ведь велели избавиться от Рейчел Ратлидж так, чтобы все приняли это за несчастный случай.

Уит мерил шагами комнату.

— По-твоему, они решат, что ты просто случайно зашел к ним именно в тот день, когда гремучая змея оказалась в ее комнате? Можно не сомневаться, что змею уже обнаружили. Если она укусила Рейчел, помоги тебе бог, потому что я не стану этого делать.

Харви удивляло, что мистер Чандлер так сердится. Он битых пять часов искал и ловил эту гадину.

— Возможно, ваша свояченица уже мертва, — с надеждой предположил он.

Уит посмотрел на него, как на сумасшедшего. Он нанял Харви, потому что ни один из ковбоев в «Сломанной шпоре» не согласился информировать его о передвижениях Рейчел. В итоге он заручился помощью самого законченного придурка во всем Техасе!

На лбу Уита вздулись вены, и Харви стало не по себе. Он понимал, что этого человека опасно сердить. Но Уит быстро взял себя в руки:

— Я хочу, чтобы ты выполнил еще одно мое поручение, Харви, а потом залег на дно на некоторое время. Только теперь в точности следуй моим указаниям и будь осторожен. Ковбои так обожают Рейчел, что в случае чего пристрелят тебя, не моргнув глазом. Ты все понял?

— Да, сэр. — Харви нервно покосился на дверь. — Выполнив ваше задание, я отправлюсь в Эль-Пасо. За границей меня будет отыскать не так-то легко.

— Вот теперь ты говоришь дело. — Уит устремил на Харви загадочный взгляд. — Я пошлю человека в Эль-Пасо, который снабдит тебя деньгами, чтобы ты ни в чем не нуждался.

Харви энергично кивнул:

— Так скажите, что мне нужно сделать.

— Мы должны действовать быстро, Харви.

Ноубл Винсенте начал совать свой нос в... — Уит оборвал фразу. Он и так доверил Харви слишком многое. Если его схватят, этот болван сразу расколется. — Короче говоря, время дорого, и если ты снова меня подведешь, то пожалеешь об этом.

— Я не подведу вас, мистер Чандлер.

Харви посмотрел в ледяные глаза Уита, и по спине у него забегали мурашки. Он понимал, что если оплошает и на этот раз, то долго не проживет.

Уит раздраженно барабанил пальцами по столу. До него дошло, что Ноубл Винсенте задает слишком много вопросов. Для человека с его связями не составит труда выяснить, что компанией «Лэнд энд траст» владеет Уит с несколькими партнерами и что некоторые из них испугались и хотят выйти из бизнеса.

Ненависть к Ноублу грызла Уита не переставая. Никто и ничто не должно помешать ему заполучить «Сломанную шпору», которую только река отделяла от его настоящей цели — Каса дель Соль.

Уиту не терпелось стать владельцем огромной гасиенды.

22.

Рейчел привыкла просыпаться с восходом солнца, но в это утро она поднялась еще раньше. В общежитии было темно — работники еще спали. Обычно она наспех завтракала и присоединялась к ковбоям, готовая к повседневному труду.

Но сегодня Рейчел вышла с чашкой кофе на крыльцо, чтобы ощутить звуки и запахи земли, которую она так любила.

Рейчел прислушивалась к ночным звукам, которые постепенно уступали место утренним — уханье совы вскоре сменилось воркованием горлицы, и волчий вой уступил место птичьим трелям. Две ласточки примостились на изгороди кораля, нервно озираясь на крадущуюся поблизости кошку.

Рейчел боялась, что вскоре потеряет все это — что еще до весны «Сломанная шпора» будет принадлежать кому-то другому. Она потягивала кофе, вдыхая сладкий аромат земли, и ощущала острую душевную боль. Мало того что ей так и не удалось выяснить, кто убил ее отца, — теперь она подведет его вторично, лишившись «Сломанной шпоры».

Небо на востоке окрасилось легким призрачным сиянием, которое становилось все ярче, словно заливая землю золотом. Сделав еще несколько глотков, Рейчел поставила чашку на перила. Она могла бы продать ранчо Уиту — тогда оно, по крайней мере, осталось бы в семье. Но все внутри ее протестовало против этого. Нет! Пока она жива, Уит не получит даже кусочка грязи из «Сломанной шпоры»!

Подул северный ветер, и Рейчел поежилась, когда он коснулся ее лица своими холодными пальцами. Что ж, теперь хотя бы прекратится невыносимая жара, продолжавшаяся все лето.

Прислонившись к резному столбику, подпиравшему навес крыльца, Рейчел старалась думать о чудесных годах, которые она провела с семьей в этом доме, но ее мысли упорно возвращались к теперешним бедам. Она должна найти способ сохранить ранчо!

* * *

Ноубл стонал во сне, прижимая к себе подушку, словно это была женщина, которая ему грезилась. Он ощущал аромат ее кожи и сладкий вкус ее губ.

— Рейчел! — позвал Ноубл, но она не ответила. Выскользнув у него из рук, она стояла перед ним обнаженная, и лицо ее было непреклонным. — Позволь мне обнять тебя!

Но Рейчел исчезла в тумане, и он сел в кровати с открытыми глазами, сразу осознав всю горечь потери.

— Проклятие!

Ноубл встал и подошел к окну. «Поделом мне!» — думал он. Если Рейчел ненавидит его за то, что он лишил ее девственности, чему же тут удивляться? Ноубл потер затылок и расправил плечи. Его нервы были напряжены до предела — он не мог думать ни о чем, кроме Рейчел.

— Она либо убьет, либо исцелит меня, — пробормотал Ноубл. — Боюсь, первое более вероятно.

Увидев, что солнце уже освещает верхушки деревьев, он быстро оделся, спустился вниз и вышел из дома. Оседлав лошадь, Ноубл выехал из конюшни, продолжая думать о Рейчел. Ему хотелось отправиться в «Сломанную шпору», стиснуть девушку в объятиях и заставить выслушать его.

Но что он ей скажет? «Твоя сестра Делия никогда ничего для меня не значила?» Едва ли после этих слов Рейчел бросится ему на шею...

* * *

Ноубл вернулся на ранчо только после полудня и заметил стоящий у дома фургон. Он узнал Джесса Мак-Ви и заподозрил, что ему предстоит получить очередную порцию домашней выпечки от супруги лавочника.

Спешившись, Ноубл зашагал к дому и увидел, что Джесс помогает сойти на землю какой-то женщине. Она была стройной и миниатюрной, в зеленом платье и с такого же цвета зонтиком от солнца, который бросал тень на ее лицо. Но и так было видно, что женщина нисколько не походит на миссис Мак-Ви.

Когда Ноубл подошел к фургону, Джесс улыбнулся.

— Я привез тебе подарок, — сообщил он. — Тебе он понравится.

Женщина повернулась к Ноублу, и он увидел, что это элегантная, красивая блондинка, которой нет еще и двадцати лет. В ней ощущалось что-то знакомое, но Ноубл не успел понять, что именно, — юная леди защелкнула зонт и раскрыла объятия.

— Неужели я даже простого приветствия не могу ожидать от родного брата?

Ноубла захлестнула волна чувств. Она так походила на их мать! Такие же огромные голубые глаза, тот же овал лица, те же ямочки в уголках рта...

— Сабер?

Девушка рассмеялась и повернулась перед ним кругом.

— Видишь — это я! Просто я выросла. — Ее лицо стало серьезным. — Я приехала, потому что мы нужны друг другу. — Она смотрела на него с таким же обожанием, как в детстве. — По крайней мере, ты нужен мне, Ноубл.

Он бросился к ней и изо всех сил прижал к себе сестру.

— Наконец-то мы вместе! Ты не представляешь, как я... — Ноубл засмеялся, впервые за много лет чувствуя, что у него легко на душе. — Мы ведь с тобой последние из Винсенте. — Он обнял девушку за талию. — Пошли в дом — здесь слишком жарко. — Вспомнив о хороших манерах, Ноубл обернулся: — Присоединяйтесь к нам, Джесс.

— Нет. Вам нужно побыть наедине. Я только попрошу твоих работников помочь мне разгрузить вещи мисс Сабер. — Джесс усмехнулся. — Похоже, она привезла с собой всю Джорджию.

— Ты путешествовала одна? — с упреком осведомился Ноубл.

Сабер Винсенте посмотрела на брата сквозь густые ресницы.

— Да. Но не ругай меня — на то была причина. Бабушке уже трудно ездить так далеко, а я была не в состоянии больше ждать.

Она склонила голову на его плечо, и сердце Ноубла смягчилось.

— Ну, теперь ты в безопасности — это самое главное.

Войдя в дом, Сабер снова обняла брата.

— Я так скучала по тебе! Мне не хотелось уезжать из дома, но отец приказал. А когда я получила письмо с известием о его смерти, то винила себя в том, что не была с ним.

Ноубл отодвинул от себя сестру, пораженный тем, что она испытывает такое же чувство вины, как он.

— Ты не должна упрекать себя, Сабер. Наш отец знал, что умирает, и хотел, чтобы ты была в безопасности, а значит — подальше отсюда.

Ее глаза наполнились слезами.

— Знаю, но я так хотела быть рядом с ним! — Она снова положила голову на плечо брата. — Мне ужасно его не хватает...

— Зато у тебя есть я, — утешил ее Ноубл.

Сабер улыбнулась сквозь слезы.

— Да, дорогой братец, у меня есть ты.

— Расскажи мне, как ты пережила войну? — попросил Ноубл. — Я слышал, что янки опустошили значительную часть Джорджии.

— Да, они сожгли дом, так что нам с бабушкой Эллен пришлось жить в хижине надсмотрщика. В доме все уничтожили — и картины, и мебель, которую дедушка купил во Франции.

— Мне жаль, что ты так страдала...

— Это было ужасно! Но я никогда не собиралась жить в Джорджии. Я родилась в Техасе — эта земля у меня в крови, как и у тебя. — Сабер сняла кружевные перчатки, положила их на стол и снова прижалась к Ноублу. — Но мне горько, что янки сожгли дом, где родилась и росла наша мама.

— Да, я понимаю. — Ноубл опустил подбородок на макушку сестры. — Значит, Техас у тебя в крови? — Он вспомнил свои чувства, когда вернулся в разоренный дом. — Ничего, все меняется. Даже ты из девчонки превратилась в красивую молодую леди.

Сабер скорчила гримасу:

— Я всегда была леди. Но ты сказал, что я красивая, а женщине всегда приятно это слышать — даже от брата. — Она шагнула назад и задумчиво посмотрела на него. — Не представляю себе, чтобы какая-нибудь леди могла перед тобой устоять.

Ноубл пожал плечами:

— К сожалению, одной из них это удается.

Сабер положила руку ему на плечо:

— Зато вот эта леди тебя любит.

Он поцеловал ее в лоб.

— Добро пожаловать домой, сестренка!

* * *

В Каса дель Соль состоялось настоящее торжество, когда вакерос и их семьи собрались приветствовать сеньориту Сабер. Столы ломились от яств, ночной воздух наполняли звуки испанских гитар и топот ног танцоров в ярких костюмах.

Сабер поднялась со стула и присоединилась к танцующим. Хлопая в ладоши, она грациозно кружилась в испанском танце, который знала с детства. Ноубл тоже пошел танцевать. Его каблуки четко отбивали ритм, но из глаз не исчезла печаль.

Когда вакерос разошлись, Сабер взяла брата под руку.

— В чем дело? — спросила она, ощущая его настроение.

— Ни в чем, — улыбнувшись, ответил Ноубл. — Просто я подумал, как бы отец и мать радовались сегодня вечером.

— Ты думал не только об этом. — Сабер в упор посмотрела на него. — Кто та женщина, которая заставляет тебя быть таким печальным?

— Неужели я прозрачный? — с усмешкой осведомился Ноубл.

— Для меня — да. — Сабер взяла его за руку. — Кто она, Ноубл? Ты очень ее любишь?

— Не стоит это обсуждать. И я не сказал, что люблю ее. Я восхищаюсь ею и многим ей обязан... — Ему не хотелось говорить о Рейчел даже с сестрой. — Но у нее есть причина меня ненавидеть, так что я не могу ее упрекать.

— Должно быть, речь идет о Рейчел Ратлидж?

Ноубл изумленно уставился на нее:

— Как ты догадалась?

— Потому что она уверена, что ты убил ее отца.

— Сейчас она уже знает, что я этого не делал.

Сабер казалась озадаченной.

— И тем не менее она тебя отвергает? Не понимаю. — Ее глаза насмешливо блеснули. — Ты ведь самая завидная партия во всем Техасе. Как же кто-то мог отказаться от тебя?

— Не будем говорить обо мне. Лучше расскажи о себе. Сколько молодых джентльменов примчится сюда из Джорджии просить у меня твоей руки?

Сабер покраснела:

— Он не из Джорджии.

— Значит, мне предстоит потерять тебя так скоро после нашей встречи?

— Нет. По крайней мере, не сразу. Мэттью собираются перевести в Монтану. Он хочет как следует обосноваться, прежде чем послать за мной.

— Он солдат?

— Да. Майор Мэттью Хэллоуэй.

Ноубл проводил сестру в гостиную и сел рядом с ней на голубой диван.

— Расскажи мне о нем.

Сабер уставилась на кончики лайковых туфель.

— Он янки. Я знаю, тебе неприятно это слышать, но... Что же делать, если он лучше всех? Ты не будешь мне препятствовать?

— Нет, если вы любите друг друга.

На ее лице отразилось облегчение.

— Я боялась рассказывать тебе о Мэтте, потому что не знала, как ты к этому отнесешься. Мэтт тоже боялся: вдруг тебе не понравится, что он сражался за Север.

Ноубл взял маленькие ручки сестры в свои.

— Сабер, я уверен, что отец спросил бы, любит ли тебя Мэтт и достойный ли он человек, и не стал бы интересоваться его политическими взглядами. Я тоже не буду этого делать. Мне хочется только одного — чтобы ты была счастлива.

Он поцеловал ее в щеку, и она обняла его.

— Ты думаешь, Мэтт сделает тебя счастливой, Сабер?

— Да! Он просто чудо! Мэтт хочет приехать в Техас и познакомиться с тобой, если ты не возражаешь.

— Возражаю? Как твой официальный опекун, я на этом настаиваю! Я должен сам посмотреть, что собой представляет этот янки. — Ноубл встал и поднял с дивана Сабер. — А теперь ложись спать. Я уверен, что ты смертельно устала. Завтра поговорим снова.

— Ты расскажешь мне о Рейчел?

— Я уже это сделал.

— По-моему, ты был не слишком откровенен. Сказал, что не любишь ее, а сам проявляешь все признаки влюбленности.

Ноубл ущипнул Сабер за вздернутый носик.

— Откуда ты знаешь эти признаки?

Она улыбнулась:

— Женщина знает их от рождения. Мы все наделены этим даром.

— Боже, помоги мне! Надеюсь, хоть одна женщина им не обладает. Впрочем, боюсь, что таких женщин нет.

— Почему это тебя так беспокоит? — Сабер удивленно посмотрела на брата.

— Ты хочешь сразу получить ответ на все вопросы. Очевидно, мне следовало посоветоваться с тобой, прежде чем начать ухаживать.

— Конечно, — улыбнулась Сабер и сразу стала серьезной. — Мне всегда нравилась Рейчел, братец.

— Мне тоже. Но если раньше она не ненавидела меня достаточно сильно, то возненавидит теперь.

— Что ты натворил?

Ноубл покачал головой:

— Вмешался в ее жизнь. Уплатил большую

часть ее налогов, хотя постарался это скрыть. Но Рейчел все равно поймет, что я это сделал, и тогда запросто может пристрелить меня. — Он заметил, что сестра встревожилась, и засмеялся. — Не беспокойся — я не думаю, что это случится.

— Если тебе и Рейчел предназначено быть вместе, значит, так и будет, — безапелляционно заявила Сабер.

Ноубл пожал плечами и подтолкнул ее к лестнице:

— Спать!

Она послушно кивнула:

— Хорошо все-таки оказаться дома!

— Ты не представляешь, что означает для меня твое возвращение. Без тебя мне было так одиноко...

На губах Сабер мелькнула шаловливая улыбка, которую Ноубл помнил с тех пор, как она была совсем маленькой.

— Понятно, я нужна тебе, чтобы привести дом в порядок. Завтра же я начну заново обставлять каждую комнату. Этот дом нуждается в женской руке.

— Буду рад передать его в твои маленькие ручки. Но я хочу, чтобы все, по возможности, выглядело как прежде.

— Я тоже.

Ноубл смотрел ей вслед, прислонившись к перилам.

— Доброй ночи, Сабер. Приятных снов.

Она послала ему воздушный поцелуй.

— Доброй ночи.

Когда Сабер скрылась в своей спальне, Ноубл

вышел из дома и посмотрел на небо. Река неодолимо влекла его к себе. Ему хотелось вскочить на лошадь и скакать туда во весь опор, чтобы посмотреть, не ждет ли его Рейчел. Но он знал, что ее там нет.

Ноубл поднялся к себе в спальню и лег, не раздеваясь. Он старался поскорее заснуть, надеясь, что ему опять приснится Рейчел. И действительно, как только его глаза закрылись, желанное видение предстало перед ним. Гордая красавица раскрыла объятия и вновь принадлежала только ему.

По крайней мере, во сне...

23.

Небо было дымчато-серым, а в воздухе заметно похолодало, когда Рейчел спустилась с крыльца и направилась к конюшне. Она проглотила свою гордость, согласившись продать стадо янки, и продала бы его даже самому дьяволу, если бы это помогло ей расплатиться с ковбоями.

По пути Рейчел думала, сколько лошадей она может продать, чтобы оставшихся хватило для содержания ранчо. Продать хороших лошадей обычно не составляло труда, но сейчас все соседи находились в таком же положении, что и она, — им впору было не покупать, а продавать лошадей.

Впрочем, Рейчел прекрасно понимала, что, даже если продать всех лошадей и коров, денег на уплату налогов не хватит. А ведь, кроме того, деньги нужны, чтобы заплатить работникам, кормить их всю зиму, весной купить новое стадо...

Ситуация выглядела безнадежной. Рейчел казалось, что ничто не может спасти «Сломанную шпору». У Рейчел заболело сердце, когда она представила себе, как фургон, нагруженный ее вещами, покидает ранчо навсегда.

Как она сможет вынести это?..

Войдя в конюшню, Рейчел зажгла фонарь и направилась к стойлу Фаро. Она положила руку на лоснящуюся черную спину кобылы и тяжело вздохнула. За Фаро дали бы хорошие деньги. Банкир хотел купить ее для своей жены и предложил щедрую сумму.

Рейчел прижалась лицом к лошади:

— Как я могу продать тебя? Ведь ты...

Кем была для нее Фаро и почему она не могла с ней расстаться? Очевидно, эта лошадь напоминала ей о том времени, когда все было прекрасно.

Внезапно дверь захлопнулась, фонарь погас, и конюшня погрузилась во мрак. Рейчел ощупью добралась до двери, думая, что во всем виноват ветер. Однако дверь не открывалась. Зеб изготовил ее на совесть и мог гордиться своей работой. Как бы Рейчел ни толкала ее, дверь не двигалась с места.

Казалось, ее заперли снаружи. Но ведь это невозможно!

Рейчел стала звать Зеба, но вспомнила, что все ковбои рано утром погнали стадо в город на продажу. Никто не мог ее услышать.

Рейчел засмеялась, думая о своем нелепом положении. Она ничуть не волновалась, вот только сколько пройдет времени, прежде чем Уинна Мей отправится на ее поиски?

Глаза Рейчел привыкли к темноте, и она потянулась за фонарем, чтобы снова зажечь его. Какой-то звук наверху привлек ее внимание, но она решила, что это одна из кошек, живущих в конюшне, гоняется за мышью.

Рейчел зажгла фонарь и повесила его на крюк. Большая часть помещения оставалась в тени — фонарь отбрасывал лишь маленький кружок света. Снова раздался тот же звук, и Рейчел направилась к стремянке, ведущей на сеновал. Ей показалось, что в конюшне кто-то есть, и она решила это проверить.

Внезапно дверца сеновала захлопнулась и на наружной лестнице послышались торопливые шаги. Лошади беспокойно заржали, лягая копытами стенки стойла.

— Все в порядке, — сказала Рейчел, надеясь успокоить их, хотя самой было совсем неспокойно. Рейчел почуяла дым прежде, чем увидела пламя, и ее сердце бешено заколотилось. Кто-то запер конюшню и поджег ее! Сеновал был единственным путем к спасению, так как на верхней дверце не было замка. Нужно успеть добраться туда, чтобы спасти лошадей.

Рейчел побежала к лестнице, но в этот момент сено вспыхнуло ярким пламенем. Прикрыв рукой лицо, она шагнула на первую ступеньку, но невыносимый жар вынудил ее отступить. Обезумевшие лошади метались в стойлах, пытаясь вырваться.

Подбежав к стойлам, Рейчел стала открывать одну дверцу за другой. Ее легкие наполнялись дымом, но она ощупью двигалась вперед. Спастись можно было, только если кто-нибудь снаружи откроет дверь; лошади должны быть готовы тут же выскочить из конюшни.

Несмотря на усиливающийся жар, Рейчел бил озноб. Дым клубился вокруг, разъедая глаза и не давая дышать. Стена пламени приближалась, сметая все на своем пути.

Рейчел стала колотить в дверь, крича изо всех сил, но она знала, что Уинна Мей слишком далеко, чтобы услышать ее.

Опустившись на колени, Рейчел вдыхала воздух через щель под дверью. Три кошки, испуганно мяукая, терлись об ее ноги. «На сей раз тот, кто пытался меня убить, добился своего», — подумала она, и в следующее мгновение все поглотила тьма.

* * *

Уинна Мей не понимала, что могло так задержать Рейчел. Ужин уже стоял на столе, а ее все не было. Ощущая смутное беспокойство, она вышла на крыльцо и увидела клубящийся дым и языки пламени над крышей конюшни.

— Рейчел, где ты? — крикнула экономка.

Ответа не было.

Уинна Мей решила, что Рейчел бросилась в конюшню спасать лошадей и нуждается в ее помощи. Она помчалась по дорожке и, достигнув конюшни, удивилась, что двери закрыты на засов. Слыша пронзительное ржание испуганных лошадей, экономка отодвинула деревянную перекладину и распахнула двери.

Внезапный поток воздуха, словно магнит, потянул пламя ей навстречу. При виде неподвижно лежащей Рейчел Уинна Мей испугалась, что она мертва. Схватив девушку за руки, экономка вытащила ее наружу. Следом устремились три кошки и пять обезумевших лошадей.

Уинна Мей наклонилась над Рейчел, пытаясь нащупать пульс у нее на шее, и вздохнула с облегчением, почувствовав ее дыхание на своей щеке. Перевернув Рейчел на бок, экономка побежала к колодцу, намочила фартук и вернулась назад. Смыв сажу с лица девушки, Уинна Мей легонько встряхнула ее.

— Рейчел! Открой глаза!

Никакой реакции.

— Рейчел! — повторила она, хлопая ее по щекам. — Очнись!

Ресницы девушки дрогнули, она глотнула воздух, и ее щеки порозовели. Рейчел хотела сказать экономке, что с ней все в порядке, но слова прилипали к пересохшим губам.

— Дыши глубже, Рейчел, — велела Уинна Мей. — Вот так. Еще раз.

Рейчел закашлялась. Ее обожженные легкие жаждали свежего воздуха, но дышать было больно. Когда кашель прошел, она села с помощью экономки и снова вдохнула драгоценный воздух. Обе молча наблюдали, как рухнула крыша конюшни и вверх взметнулся столб пламени.

Повернувшись к Уинне Мей, Рейчел спросила хриплым шепотом:

— Лошади?..

— Не знаю. Надеюсь, они спаслись.

— А Фаро?

— Не знаю. Тише. Не пытайся говорить.

Рейчел покачала головой и попробовала встать,

но снова опустилась на землю и судорожно глотнула.

— Кто-то... хотел...

— Да-да. Кто-то запер тебя в конюшне и поджег ее. — Экономка взяла дрожащую руку Рейчел. — Ты сможешь идти с моей помощью?

Рейчел кивнула. Поднявшись, она тяжело оперлась на руку Уинны Мей, и очень медленно они наконец добрались до крыльца. Обернувшись, Рейчел посмотрела на дымящиеся остатки конюшни. Ее глаза искали Фаро, но кобылы нигде не было видно.

Уинна Мей помогла ей войти в дом и усадила за кухонный стол, налив молоко в оловянную кружку.

— Ты... спасла мне...

— Ш-ш! Помолчи! — Экономка добавила в молоко солидную порцию меда, чтобы смягчить горло Рейчел. — Выпей это. Мы поговорим позже — может быть, завтра. А сейчас давай-ка я тебя как следует умою.

Уинна Мей с облегчением убедилась, что кожа на лице Рейчел не обожжена, но на ладонях и правом локте выступили волдыри. Экономка наложила на них мазь и перевязала марлей.

— Кто хочет убить меня, Уинна Мей? — в отчаянии прошептала Рейчел.

— Не знаю. Но пришло время это выяснить.

Когда Рейчел выпила мед с молоком, боль в горле немного утихла. Уинна Мей заставила ее лечь в постель, и она подчинилась, взяв с экономки обещание узнать, выбралась ли Фаро из конюшни невредимой.

Хотя Рейчел не думала, что ей удастся заснуть, она была так измучена, что сразу же закрыла глаза и погрузилась в глубокий сон. Уинна Мей, нахмурившись, стояла над ней. Кто-то уже несколько раз пытался убить Рейчел, но кто? Какую же ненависть нужно было испытывать к бедной девочке, чтобы запереть ее в конюшне и поджечь!

Протянув руку, Уинна Мей коснулась щеки Рейчел.

— Спи спокойно, дорогая. Я присмотрю за тобой.

* * *

Ночью полил долгожданный дождь. Молнии мчались по небу на огненных крыльях, словно огнедышащие драконы. Порывы ветра сотрясали деревья, а ливень колотил по земле, прибивая к ней пыль и наполняя пересохшее русло Брасос.

Рейчел проснулась от стука дождя по оконному стеклу и сначала подумала, что это ей снится. Неужели действительно пошел дождь? Да, это происходило наяву, но слишком поздно, чтобы помочь фермерам, потерявшим свои ранчо...

Обернувшись, она увидела Уинну Мей, сидящую у ее кровати с ружьем на коленях.

— Тебе тоже нужно поспать, — сказала Рейчел. — Не беспокойся обо мне. Послезавтра вернутся ковбои.

— Я сейчас лягу. — Экономка не собиралась покидать Рейчел, но знала, что девушка не заснет, если будет думать, что она не ложится из-за нее. — С Фаро все в порядке.

— Ты нашла ее?

— Это она нашла меня. Фаро подбежала к задней двери и громко фыркала, требуя внимания. Я отвела ее в кораль, дала воды и сена и заперла ворота.

Облегченно вздохнув, Рейчел закрыла глаза.

— Пошел дождь.

— Да, наконец-то.

Рейчел мирно спала под оглушительные удары грома, покуда зигзаги молний озаряли небо. Целительная влага падала на потрескавшуюся от засухи землю, которая жадно впитывала ее.

* * *

Рейчел подошла к пепелищу, от которого исходил тошнотворный запах мокрого пепла. Горло все еще болело. Даже ночной ливень, покончивший с засухой, не принес ей радости. С тяжелым сердцем она вошла в кораль, где ее ожидала Фаро.

Осмотрев кобылу и убедившись, что она не пострадала, Рейчел потрепала ее по гладкой шее и дала ей морковь. Седло и упряжь Рейчел сгорели в конюшне, но она сделала поводья из кожаного ремня и накинула их на шею Фаро, а потом, прихватив ружье, взобралась на спину кобылы.

— Поехали искать других лошадей, — сказала Рейчел, наклонившись к голове Фаро, и вздрогнула, подумав, что едва не потеряла это дорогое для нее существо.

Уинна Мей окликнула ее, но Рейчел уже была слишком далеко, чтобы услышать. Экономка покачала головой.

— Ох, уж эта Рейчел! — пробормотала она себе под нос. — Вчера кто-то пытался ее убить, а сегодня она думает только о своих лошадях.

Уинна Мей вошла в дом и поставила кофейник на плиту. Мужчины не вернутся до завтра, так что до тех пор ей придется заботиться о безопасности Рейчел. Но как можно защитить ее, если она готова скакать одна по равнине, словно ей ничего не угрожает?..

Держа ружье наготове, Рейчел обшаривала глазами местность. Кто-то хочет убить ее, и она не знает, кто это! Но она не станет прятаться в доме, как последняя трусиха. Конечно, придется соблюдать осторожность и не доверять никому, кроме Зеба, Уинны Мей и, может быть, Тэннера.

Рейчел ломала голову над тем, кто может желать ей смерти. Ясно, что это достаточно близкий ей человек. Но кто? Делия? Нет, только не ее сестра! У Делии полно недостатков — она пьет, потому что глубоко несчастна, но любит ее и ни за что не причинит ей вреда. Уит? Вполне возможно. Он способен на все. Но Рейчел сомневалась, что Уит мог зайти так далеко, чтобы попытаться убить ее. Тогда Ноубл? У Рейчел перехватило дыхание, и она почувствовала колющую боль в сердце.

— Пожалуйста, пусть это будет не Ноубл! — произнесла она вслух.

24.

Внезапно резко похолодало. Небо на западе было покрыто грозовыми тучами, а на востоке озарено призрачным желтоватым сиянием.

Спустившись с крыльца, Рейчел наблюдала, как возвращаются ковбои во главе с Тэннером. Она переводила взгляд с одного лица на другое, спрашивая себя, мог ли кто-то из этих людей запереть ее в конюшне и устроить там пожар, но решила, что никто из них не способен на такое злодеяние. Кроме того, ведь все они были в городе с Тэннером и Зебом.

Ковбои испуганно уставились на обугленные останки конюшни, потом посмотрели на свою хозяйку, заметив, что ее руки перевязаны.

— У нас был пожар, — коротко объяснила Рейчел. Она не желала вдаваться в подробности, тем более что сама не была твердо уверена в причинах происшедшего. Позже ей придется объяснить все Тэннеру и Зебу, чтобы они велели остальным следить за каждым посторонним, появляющимся на ранчо.

Все спешились и подошли к пепелищу.

— Должно быть, в конюшню ударила молния, — сказал Тэннер. — Животным удалось выбраться, мисс Рейчел?

— Да, — ответила она. — Все целы и невредимы.

Наклонившись, Зеб подобрал из кучи пепла дверные петли и некоторое время внимательно изучал их. Потом он устремил проницательный взгляд на перевязанные руки Рейчел, которые она тут же спрятала за спиной.

— Я знал, что не должен был ехать в город и оставлять вас одну. Слишком много странного случается здесь в последнее время. — Он снова посмотрел на изогнутые петли и задумчиво почесал голову. — Никакой огонь не мог бы это сделать. Нет, тут поработал человек.

Уинна Мей встретилась глазами со стариком, подтвердив взглядом его догадку.

Ковбои отправились распрягать лошадей, а Рейчел отвела Тэннера в сторону.

— Вы обожгли руки? — спросил он.

Она кивнула.

— Расскажу позже. Как вы съездили?

Лицо Тэннера прояснилось, и он улыбнулся.

— У меня для вас хорошие новости, мисс Рейчел. Как мы и предполагали, коров купил для армии сержант.

— Это должно меня развеселить? Ты же знаешь, я не хотела продавать стадо янки, но у меня не было выбора.

— Они, правда, предложили меньше, чем мы рассчитывали, — продолжал Тэннер. — Три доллара за голову, а не четыре. Но я согласился, как вы мне велели.

Рейчел вздохнула, подсчитывая общую сумму выручки.

— Этого все равно не хватит. Ты заплатил работникам?

— Да, мэм. Но это еще не все мои новости, главная впереди. Я зашел к налоговому инспектору — надеялся уговорить его принять часть налогов теперь, а остальное весной.

В глазах Рейчел мелькнула надежда.

— И он согласился?

— Нет. Но он сказал, что они ошиблись, подсчитывая ваши налоги, и что вам нужно заплатить всего двести пятьдесят долларов! Я уплатил ему сразу же, зная, что вы бы этого хотели. — Тэннер сиял от радости. — Не знал, что налоговики могут ошибаться на такую сумму.

Глаза Рейчел превратились в два острия. Несколько секунд она стояла неподвижно, покуда мозг ее лихорадочно работал.

— Это не ошибка, Тэннер! — воскликнула она.

Прежде чем Тэннер успел опомниться, Рейчел выхватила у него поводья, сунула ногу в стремя и вскочила на его лошадь.

— Скажи Уинне Мей, чтобы не беспокоилась. Я еду повидать Ноубла Винсенте.

— Мисс Рейчел! — окликнул ее Зеб. — Река вот-вот выйдет из берегов. Кроме того, у меня ломота в костях — как бы не начался ураган. Лучше вам никуда не ездить.

Хотя слово «ураган» могло вселить страх в сердце любого техасца, Рейчел пустила лошадь в галоп, обдав старика облаком пыли.

Тэннер молча смотрел ей вслед и думал, что, даже если он проживет сотню лет, ему никогда не понять женщин — особенно его хозяйку. Он был уверен, что Рейчел обрадуется, узнав об ошибке в сумме налога, а она вместо этого пришла в ярость. Какая муха ее укусила? Пожав плечами, Тэннер повернулся к Зебу, но старик только молча покачал головой.

Тэннеру хотелось поскорее выпить чашку кофе, чтобы согреться. После их возвращения похолодало не менее чем на десять градусов.

* * *

Зеб оказался прав насчет реки — русло наполнилось до краев, стремительный поток нес вырванные с корнем деревья. Не думая об опасности, Рейчел направила лошадь в воду, и хотя их тут же подхватило течением, они смогли благополучно выбраться на противоположный берег.

В груди у Рейчел бушевал гнев. Она не сомневалась, что Ноубл уплатил основную часть ее налогов и придумал объяснение, которое инспектор сообщил Тэннеру. Но если он рассчитывал на ее признательность, то жестоко ошибся. Она скорее потеряла бы «Сломанную шпору», чем взяла бы у него деньги!

Мокрая и грязная, Рейчел спешилась и быстро зашагала к дому Ноубла. Постучав в дверь, она постаралась взять себя в руки и приготовиться к сражению, жалея, что у нее нет денег, которые можно было бы бросить ему в лицо.

Маргрета открыла дверь и улыбнулась при виде Рейчел.

— Прошу прощения, сеньорита Рейчел, но хозяин... — Она заколебалась, подыскивая английское слово. — ...отсутствует. Входите, пожалуйста.

— Нет, спасибо, — ответила разочарованная Рейчел. — Передайте сеньору Винсенте, что мне нужно срочно с ним поговорить.

Но Маргрета явно не хотела ее отпускать в такую погоду и позвала на помощь мужа.

— Входите, сеньорита, — улыбаясь, пригласил Алехандро, владевший английским лучше, чем его жена. — В этом доме вам всегда рады.

— Спасибо, но я очень спешу. Когда сеньор Винсенте вернется, скажите ему, что я хочу его видеть.

Достав из кармана куртки перчатки, Рейчел надела их и сразу поморщилась от резкой боли.

— Хорошо, сеньорита Рейчел. Но он расстроится, что не застал вас. Почему бы вам не войти и не подождать? Я уверен, что сеньорита Сабер будет рада увидеть вас.

— Сабер вернулась? — В другое время Рейчел тоже обрадовалась бы встрече с сестрой Ноубла.

— Да, сеньорита Рейчел. — Алехандро шагнул назад. — Входите.

Рейчел очень хотелось повидать Сабер, но она была сейчас слишком сердита, чтобы с кем-нибудь разговаривать.

— К сожалению, я очень тороплюсь, — повторила она. — Просто передайте, о чем я просила, вашему хозяину.

Алехандро с беспокойством смотрел ей вслед. Когда он бросил взгляд на облака, его тревога усилилась. Приближалась буря. Он надеялся, что сеньорита доберется домой раньше, чем она начнется.

* * *

Как часто бывает в Техасе, ураган разразился внезапно, доказав правоту Зеба. За несколько минут температура резко упала и пошел снег. Ветер гнул к земле деревья, воя, как обезумевшая от горя женщина.

Рейчел еще не доехала до Брасос, когда очутилась в ледяном аду. Снегопад был настолько сильным, что она не могла разглядеть голову своей лошади. Рейчел знала, что замерзнет насмерть, если быстро не найдет убежище. Но она потеряла ориентир и беспомощно оглядывалась вокруг, не зная, куда ехать.

Никогда еще ей не было так холодно. И почему она не послушалась Зеба?! Если бы ветер хоть ненадолго перестал дуть, шум реки подсказал бы ей нужное направление...

Снег вонзался ей в лицо тысячами крошечных булавок. Рейчел знала, что людям, которых застиг ураган, редко удавалось спастись. Шесть лет назад Хэнк Уитлок замерз, ища заблудившихся коров. Его труп нашли менее чем в сотне ярдов от дома. Говорили, что он не смог найти дорогу из-за снегопада.

Лошадь поскользнулась и упала. Высвободив левую ногу из-под ее брюха, Рейчел натянула поводья:

— Вставай, иначе замерзнешь!

Бедное животное попыталось подняться, но закричало от боли. Быстро ощупав правую переднюю ногу лошади, Рейчел с ужасом поняла, что она сломана. Уезжая в спешке, Рейчел не взяла ружье и теперь даже не могла положить конец мучениям несчастной кобылы.

Дрожа от холода, Рейчел села рядом с лошадью, обхватила ее за шею и прижалась к ней, чтобы чувствовать рядом живое существо. Она думала о том, кто найдет их тела, когда буря утихнет. Ни один человек не рискнет отправиться на поиски во время урагана, так как это означало бы для него верную гибель. Она не успела переправиться через реку, а значит, все еще находилась на территории Каса дель Соль. Быть может, Ноубл найдет ее мертвое тело?..

Его лицо представилось мысленному взору Рейчел, и она громко взмолилась:

— Пожалуйста, Ноубл, помоги мне!

Рейчел всегда слышала, что люди зовут своих любимых в смертный час, но до сих пор не сознавала, как сильно она любит Ноубла. Теперь она могла быть честной хотя бы с собой.

— Ноубл, я люблю тебя! — твердила Рейчел дрожащими губами, но ее слова заглушал вой ветра.

Лошадь лежала неподвижно. Рейчел пыталась стряхнуть с нее снег, но он тут же снова покрывал белой пеленой бедное животное. Ресницы и волосы Рейчел обледенели. Она уже почти не чувствовала холода — только бесконечную усталость. Рейчел казалось, что она плывет по реке, и она закрыла глаза, отдаваясь этому ощущению.

Каждое движение причиняло боль, а чтобы снова открыть глаза, потребовались бы неимоверные усилия. Спать — вот все, что ей сейчас нужно...

* * *

— Повтори еще раз, что сказала Рейчел, — потребовал Ноубл. Он бросил взгляд за окно, но не увидел ничего, кроме слепящего глаза снегопада.

— Сеньорита сказала, что хочет видеть вас, хозяин. А когда я объяснил ей, что вас нет дома, она уехала. Я просил ее подождать, так как приближалась буря, но она меня не послушалась.

Ноубл потянулся за теплой курткой и снял с полки ружье.

— Я должен найти ее. Она не могла добраться домой до урагана.

— Но, хозяин, вы заблудитесь в такую метель! — возразил Алехандро. — А если все-таки поедете, возьмите меня с собой.

Ноубл подошел к двери и остановился, прислушиваясь.

— Ты слышишь что-нибудь?

— Только ветер, — ответил Алехандро. — А что слышали вы?

Ноубл покачал головой:

— Ничего. В какой-то момент мне показалось, будто меня зовет Рейчел. Но, очевидно, это выл ветер.

Он распахнул дверь, и порыв ветра едва не отбросил его назад. До лошадей они добрались на ощупь. Вскочив в седло, Ноубл поскакал в ту сторону, куда должна была поехать Рейчел. Если она придерживалась этого направления, он ее найдет, а если нет... Ноубл не хотел об этом думать. Алехандро держался рядом с ним, боясь, что они потеряют друг друга в бурю.

Северный ветер сменился восточным, понемногу стихая, и видимость улучшилась. Ноубл оглядывался по сторонам, понимая, что они должны отыскать Рейчел как можно быстрее, иначе будет слишком поздно. Возможно, уже было поздно... Его сердце сжалось, стало вдруг трудно дышать. Нет, он бы почувствовал, если бы Рейчел погибла!

* * *

Рейчел застонала, стараясь не слушать настойчивый голос, произносящий ее имя. Она хотела одного: чтобы ее оставили в покое. «Уходи!» — подумала она. Неужели она произнесла это вслух? Или, может быть, ей просто все это снится?

Рейчел показалось, что она услышала выстрел и слабое ржание лошади Тэннера. Неужели кто-то прекратил страдания животного? Нет, это только сон...

Она попыталась открыть глаза, но ей не хватило сил. В следующий момент Рейчел почувствовала, как кто-то поднимает ее, сажает на лошадь и прижимает к себе. Она уткнулась лицом в плечо этого человека и снова заснула.

— Не спи, Рейчел! До хижины недалеко.

Неужели это голос Ноубла? Или она только принимает желаемое за действительность?

— Проснись, Рейчел! — Ноубл встряхнул ее. — Говори со мной!

— Я звала тебя, — прошептала она, не открывая глаз.

— Знаю, Рейчел. — Ноубл слишком беспокоился за нее, чтобы удивляться тому, что он услышал ее зов в Каса дель Соль. — Борись со сном!

— Нет. — Она оттолкнула его руку. — Не хочу.

— Думай о том, как ты сердишься на меня. Вспомни, почему ты помчалась в Каса дель Соль, несмотря на то, что приближалась буря.

— Да, сержусь. — Рейчел говорила с трудом, но ей хотелось все высказать ему, прежде чем она заснет снова. — Ты обидел меня.

— Расскажи, что я сделал.

Но Рейчел не могла. Она ощущала, как темнота обволакивает ее зловещей тучей. Почему Ноубл не позволяет ей спать?..

Ноубл со страхом смотрел на Рейчел. Пряди ее волос обледенели, лицо было бледным до синевы. Он всей душой надеялся, что лошадь знает, куда идет, потому что впереди ничего не было видно уже на расстоянии десяти футов. Хижина находилась поблизости, но в такую метель ее легко можно было не заметить.

Самое главное — не дать Рейчел заснуть, иначе она может замерзнуть. Зная характер девушки, Ноубл не сомневался, что, если ее как следует рассердить, она не останется в долгу.

— Только очень глупая женщина могла рискнуть выйти из дому в такую погоду!

Рейчел не ответила, и он применил другую тактику.

— Неужели у тебя нет сердца? Ты подумала о людях, которые беспокоятся о тебе? Должно быть, Уинна Мей не находит себе места от волнения. Ты эгоистка, Рейчел.

Снова ответа не последовало.

— А о Зебе ты подумала? Он ведь твой верный сторожевой пес. Представь себе, как он сейчас тревожится.

Никакой реакции.

— Мне казалось, отец должен был внушить тебе, что в бурю следует сидеть дома. Сейчас он был бы очень в тебе разочарован.

Рейчел с усилием открыла глаза.

— Я ненавижу тебя, Ноубл.

Он засмеялся и прижал ее к себе.

— Ненавидь меня сколько душе угодно, Зеленые Глаза, но только не молчи! Говори о том, как сильно ты меня ненавидишь.

Рейчел застонала. Почему он не может оставить ее в покое и дать ей поспать?

— Говори со мной, Рейчел! — шептал ей в ухо

Ноубл. — Если ты заснешь, то можешь никогда не проснуться.

— Ты... — Она попыталась оттолкнуть его, но была слишком слаба. — Я хочу спать...

Рейчел обмякла в его объятиях, и он снова встряхнул ее:

— Нет, Рейчел! Ради бога, не спи!

25.

Рейчел плыла в теплом облаке и не хотела открывать глаза. Несколько минут она прислушивалась к окружающим ее звукам, различая потрескивание огня в печи, стук дождя в окно и чьи-то осторожные шаги. Что же с ней произошло? И где она?

Приоткрыв глаза, Рейчел попыталась осмотреться сквозь опущенные ресницы. Она лежала на узкой койке под шерстяным одеялом в грубо сколоченной хижине со стенами из неотесанных бревен. Человек, который находился рядом с ней, — она не могла разглядеть, кто это, — положил на одеяло что-то горячее, и ее ноги ощутили блаженное тепло. Потом человек шагнул к печке, оказавшись в поле зрения Рейчел, и она узнала Ноубла, хотя он стоял к ней спиной. Вытащив железными щипцами кусок угля, Ноубл завернул его в плотную ткань. Когда он повернулся к Рейчел, она быстро закрыла глаза, а Ноубл положил уголь у ее спины, и Рейчел почувствовала такое же тепло, как в ногах.

Очевидно, ее ресницы дрогнули, потому что

Ноубл догадался, что она не спит. Он опустился на колени рядом с Рейчел и положил ей руку на плечо.

— Ну и напугала же ты меня! Как ты себя чувствуешь?

Рейчел снова закрыла глаза, и ничто не могло заставить ее их открыть. Она плыла в тепле где-то между явью и сном.

Ноубл внимательно посмотрел на нее и вздохнул с облегчением. Сон Рейчел казался спокойным и естественным — значит, с ней все будет в порядке. Ноубл сел у печки, уперевшись ногами в стальную решетку и не сводя глаз с Рейчел. Почему он ощущает такую пустоту, когда ее нет рядом? Он едва не сошел с ума, решив, что потерял ее в бурю. Неужели это и есть та вечная любовь, о которой пишут в книгах? Ноубл знал, что испытывает сильные и глубокие чувства к Рейчел, но не был готов назвать их любовью.

Его губы тронула улыбка. Рейчел не походила ни на одну из знакомых ему женщин. Упрямая, гордая, способная идти на риск, не думая о своей безопасности... Она могла быть свирепой и беспощадной, как тогда, когда защищала его в Таскоса-Спрингс, ослепительно прекрасной, как на танцах в ратуше, страстной и желанной, как в ту ночь, когда они занимались любовью на берегу Брасос.

Воспоминания об этой ночи вихрем пронеслись в голове Ноубла, и он закрыл глаза. Сейчас ему нельзя думать об этом. Нужно приготовить для Рейчел хоть какую-то еду — что-нибудь горячее, чтобы она согрелась изнутри.

На пыльной полке Ноубл обнаружил несколько жестяных банок с бобами и подогрел одну из них в железном горшке, подвешенном над огнем. Потом налил ее содержимое в голубую чашку с отломанным краем и подошел к Рейчел.

— Я приготовил тебе поесть. — Он снова опустился на колени у койки. — Просыпайся.

Она открыла глаза и посмотрела на чашку.

— Что это?

Ноубл пожал плечами:

— Боюсь, что здесь нет ничего, кроме бобов. Но они, по крайней мере, горячие и питательные.

Рейчел отвернулась:

— Я не хочу бобы.

— Все равно ты должна поесть!

Держа в одной руке чашку, Ноубл другой рукой приподнял Рейчел, но ее голова бессильно склонилась к нему на грудь. Поставив чашку, он обнял девушку.

— Надеюсь, ты понимаешь, Рейчел, какую чудовищную глупость сегодня совершила?

Ей захотелось оттолкнуть Ноубла, но желание оставаться в его объятиях победило.

— Кажется, я припоминаю, как твой голос твердил мне о моей глупости. — Рейчел посмотрела на него и вздохнула. — Или мне это приснилось? Я не помню, что́ было во сне, а что наяву. Я даже не знаю, сплю сейчас или нет.

Ноубл засмеялся:

— Это не сон. Если бы ты спала, то воображала бы себя в каком-нибудь месте получше этого.

Рейчел отодвинулась от него, внезапно вспомнив, какая причина привела ее в Каса дель Соль.

— Ты уплатил налоги на «Сломанную шпору»? — напрямик спросила она и тут же почувствовала, как напрягся Ноубл.

— Мы поговорим об этом позже. А сейчас я хочу, чтобы ты съела хотя бы две ложки бобов, и тогда я позволю тебе спать сколько душе угодно.

— Почему всем всегда хочется, чтобы я спала? — недовольно осведомилась Рейчел.

— По ряду причин. — Поддразнивающий тон напомнил Рейчел прежнего Ноубла. — Прежде всего во сне ты не можешь говорить.

Вместо того чтобы рассмеяться, она вопросительно посмотрела на него.

— Что стало с лошадью Тэннера?

— Я пристрелил ее.

Рейчел ощутила острое чувство вины: из-за нее погибло красивое животное.

— Спасибо и на том.

Она съела несколько ложек, морща нос после каждой, и опустила голову на подушку. Ноубл прикрыл одеялом ее плечи и поднялся.

— Буря начала стихать как раз перед тем, как мы нашли тебя. Алехандро поехал в «Сломанную шпору» сообщить, что ты в безопасности. — Он обернулся к окну. — Снегопад прекратился, но ветер еще дует.

Рейчел кивнула с благодарностью, забыв, что должна на него сердиться.

Подойдя к окну, Ноубл посмотрел наружу. Тучи быстро рассеивались, но на востоке клубились новые грозовые облака. Снег на ярком солнце казался кроваво-красным.

Сейчас Рейчел была послушной, но, отдохнув,

она снова станет самой собой и обрушит на него свой гнев. Ему следовало предвидеть, что она сразу разгадает его уловку с уплатой налогов. А он еще считал себя очень хитрым, инструктируя инспектора, что следует ей сказать!

Обернувшись, Ноубл увидел, что Рейчел наблюдает за ним.

— Спи, — мягко произнес он, и она тотчас же заснула.

Заметив, что руки Рейчел все еще в перчатках, Ноубл осторожно стянул их и сразу увидел следы ожогов. Очевидно, с ней произошел какой-то несчастный случай. Он коснулся губами маленькой ручки, спрятал ее под одеяло и нахмурился. Ему казалось, что за последнее время с Рейчел происходит слишком много несчастных случаев.

* * *

Она ощущала жар пламени и едкий удушливый дым, слышалось испуганное ржание обезумевших лошадей. Рейчел пыталась бежать, но ноги были как ватные, и она не могла двинуться с места. Кое-как добравшись до двери конюшни, Рейчел стала колотить в нее кулаками, но никто не слышал ее.

— Помогите! — кричала она. — Конюшня горит! Ради бога, спасите меня!

Сильные руки стиснули ее запястья.

— Все в порядке, Рейчел. Это только сон. Ты в безопасности.

Услышав голос Ноубла, она вцепилась ему в руку.

— Ноубл, помоги мне!

Он привлек ее к себе и погладил по спине.

— Я здесь, Рейчел. Я никому не позволю тебя обидеть.

— Кто-то хочет убить меня! — прошептала она все еще во власти кошмара — уже не во сне, но еще не наяву.

Ноубл поднял Рейчел, отнес к печке и сел на стул, держа ее на коленях, как ребенка, и осторожно целуя закрытые веки.

— Здесь никто не сможет тебе навредить. Я не позволю им.

Рейчел теснее прижалась к нему, черпая тепло и уверенность в его крепких объятиях. Наконец она открыла глаза. В хижине было темно, так как лампу погасили, а огонь в очаге едва тлел.

— Мне это только приснилось? — неуверенно спросила она.

— Не знаю, Рейчел. — Он взял ее руку и посмотрел на ожоги. — Похоже, твой кошмар порожден реальными событиями.

Рейчел смущенно отняла руку.

— И давно ты меня держишь? — спросила она, проснувшись окончательно.

— Достаточно давно, чтобы моя рука онемела, — улыбнулся Ноубл.

Рейчел попыталась встать, но он удержал ее:

— Не уходи. Мне нравится, когда ты сидишь здесь.

Глядя в его блестящие карие глаза, Рейчел чувствовала, что тает под их взглядом.

— Я всегда смущаюсь, когда нахожусь рядом с тобой, Ноубл, — призналась она.

Он коснулся губами ямочки на ее щеке.

— В самом деле, Зеленые Глаза?

Рейчел слегка отодвинулась от него.

— Что же в этом удивительного? Каждый раз, когда мы вместе, случается какая-нибудь беда.

Она думала, что Ноубл засмеется, но он оставался серьезным.

— Давай поговорим об этих бедах.

— О какой именно? — улыбнулась Рейчел.

Протянув руку, Ноубл подбросил в печь два полена, и в очаге взметнулись искры. Сухое дерево быстро воспламенилось.

— Начнем с того, что произошло с твоими руками. Не требуется опыт доктора Стэнхоупа, чтобы понять, что они обожжены. Как это случилось?

Рейчел посмотрела на свои руки и, превозмогая боль, сжала их в кулаки.

— Тебя это не касается.

— И все-таки удовлетвори мое любопытство.

— Моя конюшня загорелась.

— Понятно. И ты, как всегда, не думая о собственной безопасности, побежала в горящую конюшню спасать лошадей, не так ли?

Рейчел покачала головой. Ей внезапно захотелось рассказать ему все о странных событиях, происходивших с ней в последнее время.

— Нет. Я была в конюшне, когда начался пожар.

— Значит, ты опрокинула фонарь?

— Нет. — Рейчел опустила взгляд — она не могла смотреть ему в глаза, понимая, насколько невероятной покажется ее история. — Кто-то запер конюшню снаружи и поджег ее.

Рейчел почувствовала, как напрягся Ноубл.

— А кто был дома в это время?

— Если ты думаешь, что конюшню поджег кто-то из моих работников, то ты ошибаешься. Как раз в этот день все ковбои отправились в город продавать коров. — Она снова посмотрела на свои руки и вздрогнула от страшного воспоминания. — Мне повезло, что Уинна Мей увидела дым. К счастью, все лошади спаслись. Я беспокоилась о Фаро, но с ней все в порядке.

Ноубл знал, что Рейчел не склонна к преувеличениям — скорее наоборот. Если она говорит, что ее заперли намеренно, значит, так оно и было.

— Какие еще беды обрушились на тебя?

— Я... — Ее глаза расширились. — Однажды я обнаружила на своей кровати гремучую змею! Она чудом меня не укусила.

Ноубл крепче прижал ее к себе, словно не давая страху вырваться наружу.

— Твоя спальня на втором этаже, верно?

— Да.

— Понятно.

Рейчел подумала о той ночи, когда Уит проник к ней в комнату и попытался ее изнасиловать. Но об этом случае она ни за что не расскажет Ноублу. Взглянув на него украдкой, Рейчел увидела, что он уставился на пламя в очаге. Неужели он считает ее истеричкой, видящей беды там, где их нет?

Ноубл уже знал о змее — ему рассказал Зеб. Однако о пожаре в конюшне он услышал впервые. Ему было ясно одно: кто-то желает Рейчел смерти. Но кто? Его мысли вернулись к тому дню, когда в нее стреляли. Он решил тогда, что пуля предназначалась для него, но теперь уже не был в этом уверен.

— Рейчел, у тебя есть враг?

— Ты!

Ноубл очень серьезно посмотрел на нее:

— Не думаю, что ты этому веришь.

Рейчел покраснела от стыда. Ведь он всегда пытался только помочь ей.

— Нет, я не верю, что ты способен причинить мне вред. Просто я... не нуждаюсь в твоей помощи.

Рассмеявшись, Ноубл поднялся, отнес ее на кровать и прикрыл одеялом.

— Видит бог, ты сама не очень-то способна себя защитить. Как я уже говорил, кто-то должен за тобой присматривать.

Рейчел приподнялась на локте и посмотрела на него.

— И по-твоему, этот «кто-то» — ты?

Ноубл долго молчал, и она не представляла себе, какие мысли роятся у него в голове.

— Если не я, то кто, Рейчел?

— Ты уплатил налоги на «Сломанную шпору», не так ли?

— Зачем мне это делать?

Рейчел поднялась на колени, тряхнув рыжей гривой.

— Черт возьми, Ноубл, перестань отвечать вопросом на вопрос! Ты уплатил налоги на мое ранчо или нет?

Он повернулся и снова отошел к камину.

— Если и уплатил, мы можем назвать это ссудой.

Рейчел вскочила с кровати и подошла к нему.

— Я никогда не смогу вернуть такой долг! Неужели тебе не приходило в голову, что я не хочу твоей помощи?

— Приходило...

Внезапно комната поплыла перед глазами Рейчел, и ей пришлось ухватиться за его руку.

— Кто дал тебе право вмешиваться в мою жизнь?

Увидев, что она побледнела, Ноубл снова поднял ее на руки и отнес на кровать.

— В чем дело, Рейчел? — спросил он, опустившись на колени рядом с ней. — Тебе больно?

Она прижала руку к глазам и облизнула губы.

— Нет. Просто голова закружилась.

Ноубл обнял ее за плечи:

— Почему ты думаешь, что можешь одна сражаться со всем миром, Рейчел? Ты ведь всего лишь маленькая хрупкая женщина. Позволь мне заботиться о тебе.

Она кивнула и неожиданно для себя выпалила:

— Для начала можешь лечь рядом со мной, чтобы комната перестала вращаться.

Засмеявшись, Ноубл лег на кровать и привлек к себе Рейчел.

— Никогда я не получал приказ, который так легко выполнить!

Хотя их разделяло одеяло, Рейчел чувствовала жар его тела. Комната почти остановилась. Она закрыла глаза и опустила голову на его плечо.

— Спи, Зеленые Глаза. Я буду отгонять от тебя демонов.

Рейчел свернулась калачиком, чувствуя себя в безопасности, и мгновенно уснула.

26.

Проснувшись среди ночи, Рейчел села и прислушалась; ее сердце колотилось от страха. Завывал ветер; дождь колотил в окно. В хижине царила полная темнота.

— Ноубл! — крикнула Рейчел. — Где ты?

Никто не ответил, и она уже не знала, что думать, но в это время открылась дверь.

— Я здесь, Рейчел. Просто вышел за дровами. Сейчас разведу огонь и приду к тебе.

Рейчел услышала, как Ноубл кладет дрова в печку, где вскоре вспыхнул язычок пламени. Его гигантская тень отражалась на стене хижины.

— Ну вот, — с удовлетворением произнес Ноубл, когда дрова загорелись. — Скоро опять будет тепло. — Он подошел к ней. — Я заснул, и огонь погас. С тобой все в порядке?

Рейчел заметила, что Ноубл дрожит, и поняла, что он замерз.

— Должно быть, ты устал, Ноубл. Ложись ко мне под одеяло, — предложила она, думая лишь о том, чтобы согреть его. В конце концов, он ведь заботился о ней без всяких задних мыслей.

Ноубл нахмурился:

— Не уверен, что это удачная идея.

Мерцающее пламя тускло освещало комнату.

— Не говори глупости. Ты заболеешь, если не согреешься. Кроме того, не можешь же ты не спать всю ночь.

Поколебавшись, Ноубл сел на край кровати и начал снимать сапоги.

— Только сапоги! — быстро предупредила Рейчел. — Тебе придется спать в одежде.

Ноубл молча скользнул под одеяло, стараясь не прикасаться к Рейчел. Но он был крупным мужчиной, так что телесного контакта с ней на узком матраце избежать не удалось.

— Придвинься ко мне, и я тебя согрею, — сказала Рейчел. — Мы же взрослые люди.

Ноубл тяжело вздохнул.

— Могут возникнуть проблемы, — отозвался он.

Тем не менее он придвинулся к ней, и Рейчел обхватила его рукой.

— Неужели ты боишься меня, Ноубл?

— Ужасно. Ведь я же прекрасно помню, как ты заявила, что можешь попасть с одного выстрела в подброшенный в воздух серебряный доллар, — ответил он, вспоминая тот день, когда она целилась в него на берегу Брасос из его же револьвера.

Повернувшись к Рейчел, Ноубл увидел, что она улыбается.

— Тогда я вела себя отвратительно.

— Ты напугала меня до смерти.

— Но ты не выглядел испуганным.

— Зато ты напугала до смерти Харви и его друзей в Таскоса-Спрингс, направив на них ружье.

— Спи, Ноубл. Я буду отгонять от тебя демонов, — повторила Рейчел его слова.

Он смотрел, как отблески пламени играют на ее рыжих волосах.

— Ни одна женщина не сравнится с тобой, Рейчел Ратлидж. Моя жизнь была куда проще, когда мне приходилось сражаться с янки. Вернувшись домой, я столкнулся с превосходящими силами противника.

— Ты имеешь в виду меня?

— Вот именно.

— Доброй ночи, Ноубл.

Хотя оба были одеты, он ощущал тепло ее мягкого тела.

— Как я могу спать, когда... — Ноубл слегка отодвинулся от нее. Почувствовав, как дрогнуло тело Рейчел, он понял, что она смеется. — Доброй ночи, Зеленые Глаза.

* * *

Проснувшись через некоторое время, Рейчел обнаружила, что печка почти прогорела. Рука Ноубла лежала у нее на талии. Облака рассеялись, и лунный свет струился в окно, но ветер выл по-прежнему, и ветка дерева царапала крышу.

Посмотрев на Ноубла, Рейчел увидела, что он спит. Его лицо при свете луны выглядело усталым. Сердце Рейчел разрывалось от любви к нему. Он снова спас ей жизнь, хотя сам мог легко заблудиться и погибнуть во время урагана.

Чувствуя неудержимое желание поцеловать Ноубла, Рейчел поспешно отодвинулась. Собственные мысли начали внушать ей тревогу.

— Проснись, Ноубл! — Она потрясла его за плечо. — Огонь вот-вот погаснет.

Шевельнувшись, он открыл свои чудесные темные глаза и посмотрел на Рейчел, потом улыбнулся и привлек ее к себе.

— Кому нужен огонь, когда рядом ты?

— Если ты не подбросишь дров в печку, мы оба умрем от холода. Не хочу, чтобы твоя смерть была на моей совести, — сердито сказала Рейчел, стараясь скрыть свои истинные чувства.

Ноубл рассмеялся:

— В этих зеленых глазах достаточно пламени, чтобы согреть любое помещение.

— Ты намерен поддержать огонь или нет? — Рейчел прижалась спиной к стене, стараясь не прикасаться к Ноублу. Она уже жалела, что предложила ему разделить с ней кровать.

— В хижине больше нет дров, а сейчас слишком темно, чтобы выходить. — Он снова посмотрел на нее. — Я не собираюсь насиловать тебя, Рейчел. Неужели ты мне не доверяешь?

Рейчел доверяла Ноублу, но могла ли она доверять собственному сердцу, трепещущему от страстного желания? Она молча кивнула, все еще прижимаясь к стене.

С усталым вздохом Ноубл повернулся к ней спиной. Вскоре Рейчел услышала его ровное дыхание и подумала, что он спит. Она протянула руку и осторожно коснулась его плеча. Этот момент принадлежал ей — он мог никогда не повториться. Придвинувшись к Ноублу, Рейчел прижалась щекой к его спине.

Внезапно он повернулся и схватил ее за подбородок.

— Если ты будешь продолжать мучить меня, Рейчел, я не смогу отвечать за последствия!

Маленькое облачко, на мгновение закрывшее луну, отодвинулось, и хижину вновь залило серебристое сияние. Рейчел и Ноубл молча смотрели друг на друга.

— Я сказал, что ты можешь мне доверять, и сдержу обещание. — Казалось, слова даются ему с трудом. — Ты только что едва не погибла. Неужели ты считаешь меня способным воспользоваться обстоятельствами? По-твоему, я такая скотина?

— Мне было так страшно... — призналась Рейчел.

— Ты боялась меня?

— Нет. Кого-то... чего-то... Я сама не знаю.

— Ты многое пережила, и тебе не нужно, чтобы я усложнял твою жизнь.

— Мне нужно, чтобы ты обнял меня, Ноубл. — Ее голос походил на плач испуганного ребенка. — Пожалуйста!

Ноубл больше не мог сдерживать свои чувства. Со сдавленным стоном он привлек к себе Рейчел, целуя ее волосы, глаза, щеки и наконец так впился ей в губы, что она едва не задохнулась.

— Если бы я только мог всегда держать тебя в своих объятиях и не позволять никому и ничему пугать тебя... Но ведь ты не желаешь ничьей помощи, верно?

Вместо ответа Рейчел обняла его за шею.

Ее губы прижались к губам Ноубла, она принялась расстегивать ему рубашку.

— Почему ты так мучаешь меня, Зеленые Глаза? — пробормотал он. — Я не хотел, чтобы это случилось. Мне хотелось доказать тебе, что я могу быть рядом с тобой и не... Ведь я обещал тебе!

Он резко отстранился и уже собирался встать с кровати, но голос Рейчел остановил его.

— Люби меня, Ноубл, — тихо сказала она. — Я хочу этого.

Он снова повернулся к ней, его дрожащая рука коснулась ее плеча.

— Ты уверена, что хочешь, Рейчел?

— Да, уверена.

В порыве страсти они сбросили одежду, и их тела сплелись в тесном объятии. Ноубл целовал и ласкал Рейчел, пока она не задрожала. А потом дерзким движением, удивившим их обоих, Рейчел опрокинула Ноубла на спину и легла на него.

Ноубл закрыл глаза и стиснул зубы, сдерживая страсть. Сжав бедра Рейчел, он медленно вошел в нее, и она закусила губу, чтобы не застонать. Рейчел чувствовала себя цветком, раскрывающимся навстречу яркому солнцу. Сейчас Ноубл принадлежал только ей! Они стали единым целым. И что бы ни случилось потом, она должна была запомнить этот момент...

Когда страсть немного утихла, они все еще ощущали непреодолимое желание касаться друг друга. Рейчел лежала в объятиях Ноубла и боялась шевельнуться, чтобы не разрушить чары. Она жалела, что это не может продолжаться вечно.

Ноубл гладил ее длинные волосы, пропуская их между пальцами и наслаждаясь этим ощущением.

— Нам хорошо вместе, Рейчел, — сказал он наконец.

— У тебя наверняка было много женщин, —

отозвалась она, тут же пожалев, что констатировала этот очевидный факт.

— Ни с кем у меня не было такого, как с тобой. — Ноубл приподнял ее подбородок и посмотрел ей в глаза. — Поверь мне, Рейчел, ни с одной женщиной я никогда не чувствовал и не почувствую ничего подобного.

Она тяжело вздохнула:

— Тем не менее мы никогда не сможем быть вместе. Это последний раз.

— Ты говорила так и раньше.

— Судьба была добра к нам, подарив этот неожиданный миг счастья. Но река, которая нас разделяет, слишком широка.

— Это ты тоже говорила, однако пересекла реку.

Взгляд Рейчел стал печальным.

— Я пришла к тебе не для любви. Я только хотела сказать, чтобы ты прекратил вмешиваться в мою жизнь. В этом отношении мои чувства не изменились и вряд ли когда-нибудь изменятся.

Отодвинувшись, Ноубл внимательно посмотрел на нее, словно хотел впитать в себя каждую черточку.

— Если мы вместе последний раз, поцелуй меня снова.

Склонившись к нему, Рейчел прижалась губами к его губам. Она не могла устоять перед взглядом темных глаз Ноубла — да и какой женщине это бы удалось? Рейчел чувствовала себя так, будто ее снова затягивают зыбучие пески. Но каким же сладостным было это чувство!

— Что ты сделала со мной, Зеленые Глаза?.. —

Вопрос Ноубла едва ли нуждался в ответе.— Я хочу, чтобы ты стала моей женой.

— Нет, Ноубл, это невозможно.

— Если ты имеешь в виду реку, которая нас разделяет, мы построим через нее мост.

— Дело не в реке.

— Значит, в Делии?

— Да.

Ноубл долго молча смотрел на нее.

— Полагаю, ты не говорила с сестрой о нас?

— Нет. Я не могу говорить с ней об этом. — Рейчел закрыла глаза. — Не знаю, почему.

— Ты просто боишься того, что она тебе скажет. — Ноубл прижал ладони к ее щекам. — Посмотри на меня, Рейчел! Я никогда не прикасался к твоей сестре и не испытывал желания это делать. Ты должна решить, кому верить — мне или Делии.

— Не могу. Не проси меня об этом, иначе мне придется выбрать мою сестру.

Ноубл сел на постели, повернувшись к ней спиной.

— Это твой окончательный ответ?

— Не делай этого со мной, Ноубл!

— Я ничего с тобой не делаю. Я попросил тебя выйти за меня замуж, чего никогда не предлагал ни одной женщине.

— Ты просто чувствуешь себя обязанным жениться на мне, — вздохнула Рейчел. — Но я отвечаю «нет». В том, что произошло между нами, только моя вина. Тебя я ни в чем не упрекаю.

Ноубл пожал плечами, зная, что любые его

слова будут истолкованы неверно. Его взгляд стал жестким.

— И все же, Рейчел, рано или поздно тебе придется решать, кто из нас говорит правду — я или Делия. Постарайся сделать правильный выбор. — Он встал и быстро оделся. — Я могу отвезти тебя домой сейчас или съездить в «Сломанную шпору» и прислать сюда Зеба или Тэннера, чтобы они тебя забрали. Кого ты предпочитаешь?

— Зеба.

— Отлично. — Он вышел, даже не взглянув на нее.

Вскоре Рейчел услышала стук топора. Вернувшись в хижину с охапкой дров, Ноубл стал разводить огонь.

— Это согреет тебя до прибытия Зеба.

Когда он уехал, хижина сразу стала казаться пустой. Рейчел лежала, глотая слезы. Ноубл просил ее выйти за него замуж, и она хотела этого больше всего на свете. Но Делия вечно стояла бы между ними. К тому же Рейчел не сомневалась, что он сделал ей предложение, считая это своим долгом.

Нет, Ноубл ничем ей не обязан! Это она соблазнила его. Щеки Рейчел зарделись от стыда. Господи, что он о ней может думать?

Она поднялась с кровати и начала быстро одеваться. Так больше продолжаться не может. Пора потребовать от сестры ответа и выяснить, кто из них — она или Ноубл — сплел паутину лжи.

Рейчел подошла к печке, чтобы согреться. Нужно сделать кое-что еще. Она сильно подозревала, что Харви Брискал имеет отношение к несчастным случаям, происходившим с ней в последнее время. Необходимо найти его и узнать правду. Она не может продолжать жить, испуганно озираясь в ожидании очередной беды.

Когда через два часа прибыл Зеб, Рейчел встретила его у двери.

— Вы нас здорово напугали, мисс Рейчел.

Сев на лошадь, она посмотрела на него.

— Что ты знаешь о Харви Брискале?

Зеб молча покачал головой. Какая безумная идея овладела его хозяйкой на сей раз?..

27.

Спустя три недели Рейчел и Зеб сидели в дилижансе, направляющемся в Эль-Пасо. Они выехали в холодную погоду, но постепенно становилось все теплее. Трудно было поверить, что еще совсем недавно в этих местах бушевал ураган.

Все это время Рейчел пыталась напасть на след Харви Брискала, но о нем никто ничего не слышал. Тэннер навел справки в городе и узнал, что на прошлой неделе Харви видели в Эль-Пасо. Рейчел надеялась, что, когда она приедет туда, он все еще будет там находиться. Она собиралась заставить его сообщить, что ему известно о змее в ее спальне и пожаре в конюшне.

Рейчел смотрела в окно на пустынный пейзаж. Ветер гонял с места на место перекати-поле. Вдалеке на солнце поблескивали солончаки. Иногда попадались останки лошадей и быков. Теплый, пахнущий солью ветер дул постоянно.

Карета подпрыгивала на ухабистой дороге, но Рейчел не обращала внимания на неудобства. Она твердо решила узнать, кто пытается убить ее, прежде чем покинет Эль-Пасо.

Обернувшись, Рейчел встретилась взглядом с Зебом. Славный старик не стал отговаривать ее от поездки, но настоял на том, чтобы сопровождать ее.

Во рту у Рейчел пересохло, но это не имело ничего общего с жаждой. Дело близилось к развязке, и она страшилась того, что может произойти в Эль-Пасо...

* * *

Ноубл взял записку, которую доставил ему один из работников «Сломанной шпоры». Он надеялся, что она от Рейчел, но, начав читать, нахмурился и плотно сжал губы. Записку прислала Уинна Мей, которая беспокоилась, что Рейчел отправилась на поиски Харви Брискала в сопровождении только одного Зеба. Экономка не сомневалась, что змею в спальню Рейчел подложил Харви, и умоляла Ноубла о помощи.

Ноубл быстро зашагал к конюшне, где Алехандро с одним из сыновей седлали серого в яблоках жеребца.

— Этот конь готов скакать куда угодно, — с гордостью сообщил старший вакеро.

Томас провел ладонью по гладкому боку великолепного животного.

— Хозяин, этот жеребец достоин короля!

— Алехандро, мне нужно разыскать человека, который, вероятно, не хочет, чтобы его нашли, —

сказал Ноубл, комкая в кулаке записку Уинны Мей. — Я подозреваю, что в Таскоса-Спрингс у него остались друзья, но они вряд ли пожелают говорить со мной. Как мне быть?

Алехандро задумался, не выпуская уздечку. Потом он улыбнулся и подтолкнул вперед сына.

— Я пошлю Томаса в город послушать, что там говорят. Вы бы удивились, узнав, о чем только не болтают у стойки бара, когда рядом стоит испанский вакеро. Как будто мы невидимые и у нас нет ни ушей, ни глаз. Если кто-то в городе знает о человеке, который вам нужен, мои сыновья это выяснят.

Ноубл кивнул:

— Этот человек — Харви Брискал.

Алехандро положил руку на плечо Томаса.

— Ты слышал имя человека, которого ищет хозяин? Поезжай в город, иди в салун и навостри уши.

Молодой человек улыбнулся, радуясь, что ему доверяют столь важную миссию.

— Хорошо, папа. Я узнаю все об этом человеке. — Он с почтением посмотрел на Ноубла. — Если сеньора Брискала можно найти, я выясню, где его искать, хозяин.

— Надеюсь, только помни, что Харви трус, а трус может быть опасен, когда он загнан в угол. Если ты столкнешься с осложнениями, Томас, забудь о Харви Брискале и немедленно возвращайся домой.

— Делай то, что велел хозяин. А я как отец добавлю кое-что еще.

— Да, папа?

Рука Алехандро крепче сжала плечо Томаса.

— Ты закажешь выпивку, но пить будешь медленно. Понял?

В темных глазах юноши мелькнуло разочарование.

— Хорошо, папа, — удрученно отозвался Томас.

— Если тебе придется задержаться в салуне, ты не должен вызывать подозрения. Закажи вторую порцию, но только сделай вид, что пьешь. Твоя мама вырвет мне сердце, если ты вернешься пьяным.

— Ладно, папа, я выпью только одну порцию.

Взгляд Алехандро смягчился.

— Будь осторожен. Я бы поехал сам, но меня там все знают и не станут говорить при мне так свободно, как при тебе.

— Я постараюсь все узнать. Какую лошадь мне взять?

— Надень свое седло на серого жеребца, Томас, — сказал Ноубл. — Теперь он твой.

Глаза молодого испанца расширились. Недоверие в его взгляде сменилось радостью.

— Я буду хорошо заботиться о нем, хозяин! — воскликнул он и положил седло на спину серого коня.

— Неужели тебе больше нечего сказать хозяину? — упрекнул его отец. — Ты забыл о хороших манерах!

Томас быстро сорвал с головы сомбреро.

— Благодарю вас, хозяин.

Ноубл засмеялся и похлопал молодого испанца по спине.

— Я уверен, ты отработаешь этот подарок, Томас. Следуй советам отца. Не привлекай к себе внимания и держи глаза и уши открытыми. А главное, не забывай о собственной безопасности.

Томас вскочил в седло, гордо вскинув голову.

— Я не подведу вас, хозяин!

Ноубл и Алехандро смотрели вслед молодому человеку.

— Таким сыном можно гордиться, Алехандро.

— Да, хозяин. Моя Маргрета подарила мне пятерых.

— Я тоже хотел бы иметь сына, — вздохнул Ноубл.

Старший вакеро прищурился:

— А как насчет сеньориты Рейчел?

— Неужели это так заметно? — нахмурился Ноубл.

— Я слишком долго знаю вас, хозяин. Никогда еще я не видел, чтобы вы так бегали за женщиной.

— Тогда пожалей меня, Алехандро, потому что легче приручить дикую кошку, чем завоевать Рейчел Ратлидж.

— Но чтобы жениться на такой женщине, стоит похлопотать.

— Кто бы ни стал ее мужем, помоги ему бог, так как он не будет знать ни дня покоя.

— Да, — согласился Алехандро, который хорошо знал, что даже в счастливом браке жена далеко не всегда подчиняется мужу. — Когда мужчина влюбляется в строптивую женщину, он нуждается в божьей помощи. — Он посмотрел в глаза хозяину. — Вы боитесь, что ей грозит опасность?

Ноубл кивнул:

— И у меня есть на то основания.

* * *

Рейчел стояла в коридоре гостиницы, стараясь не замечать пропитавшего все вокруг зловония. Ее не удивляло, что Харви выбрал подобное заведение. Внизу сидело несколько полуодетых женщин, а портье с подозрением уставился на нее, когда она назвалась сестрой Харви.

Зеб шагнул вперед и постучал в дверь. Внутри послышался какой-то звук, но ответа не последовало. Зеб постучал снова — с тем же результатом.

Рейчел выпятила подбородок и набрала воздух в легкие.

— Отойди в сторону, Зеб! — приказала она.

— Что вы делаете, мисс Рейчел? Мы знаем, что Харви там, но он не откроет вам. Нам нужно подождать внизу, а еще лучше — в симпатичном маленьком отеле напротив, пока он выйдет. Ему же надо будет что-нибудь поесть.

— Я сказала, отойди, — повторила Рейчел.

Зеб подчинился, стараясь держаться поближе на случай неприятностей.

Непрочный замок поддался от одного удара ногой. Дверь открылась, и Рейчел шагнула внутрь. Харви лежал на скомканной постели, дрожащей рукой направив револьвер на непрошеную гостью.

— Вы?! — воскликнул он, судорожно глотнув. — Что вы здесь делаете?

Не обращая внимания на оружие, Рейчел посмотрела в маленькие алчные глазки Брискала.

— Все очень просто, Харви. У меня имеются вопросы, а у тебя — ответы на них.

Харви с опаской покосился на дверь:

— Он с вами?

— Кто?

— Этот испанский ублюдок.

— Нет. Со мной только Зеб, Харви. Чего ты боишься?

— Не вас.

— Я хочу задать тебе несколько вопросов. — Рейчел подошла ближе. — Мне нужно знать, на кого ты работаешь.

— Я не обязан вам отвечать! Убирайтесь отсюда.

В комнату вошел Зеб и встал между Рейчел и Харви.

— На твоем месте я сообщил бы ей то, что она хочет знать. Если мисс Рейчел разозлить, она становится очень опасной. Впрочем, ты и твои дружки убедились в этом в городе в тот день. Так что выкладывай все и будь повежливее. Мисс Рейчел — леди.

Харви облизнул губы:

— Я мог бы застрелить вас обоих и заявить, что это была самозащита. Вы вломились ко мне в комнату...

Угроза не обескуражила Зеба.

— Ты можешь пристрелить меня, но не успеешь увидеть моей крови. Мисс Рейчел не дает промаха.

Харви сполз с кровати и опустил револьвер. Казалось, он весь съежился.

— Я не хотел убивать вас, мисс Рейчел.

— Кто нанял тебя, Харви? — Рейчел встала рядом с Зебом.

— Это был... — Внезапно его глаза, устремленные на дверь, расширились от ужаса. — Нет-нет! Я не собирался ничего ей говорить! Не стре...

Грянул выстрел. Тело Харви обмякло и медленно опустилось на пол.

Обернувшись, Рейчел увидела высокого мужчину, стоящего в дверном проеме. Его рот злобно кривился, а в правой руке он сжимал дымящийся револьвер. Это был тот самый рыжий громила, который напал на Ноубла в тот день в Таскоса-Спрингс.

Ред ухмыльнулся:

— Не жду от вас благодарности, маленькая леди, но я спас вам жизнь. У Харви был револьвер.

Рейчел быстро опустилась на колени рядом с Брискалом.

— Кто нанял тебя, Харви? — крикнула она, вцепившись в его рубашку. — Говори!

Харви попытался что-то сказать, но изо рта у него потекла тонкая струйка крови, а глаза закатились. В следующее мгновение тело его дернулось, напряглось и застыло. Он был мертв.

Рейчел медленно поднялась и повернулась к Реду:

— Вы нарочно застрелили его, так как не хотели, чтобы он рассказал, на кого работает.

Ред отбросил притворство:

— Верно. Ну и что из этого? Мне нечего бояться: вы оставили ваше оружие на полу возле бедняги Харви. — Он ухмыльнулся. — А за вами должок, маленькая леди. По вашей вине я скверно выглядел, а мне не нравятся люди, которые делают из меня идиота на глазах у всех.

Зеб шагнул вперед, подняв револьвер.

— Ты забыл обо мне!

Ред выстрелил так быстро, что застиг старика врасплох. Рейчел вскрикнула, видя, как Зеб падает на пол, уронив револьвер. Слезы потекли у нее из глаз, когда она опустилась на колени возле старика и коснулась его лица.

— Зеб, Зеб! Зачем ты это сделал?..

При виде темного пятна на его рубашке Рейчел охватила ярость. Быстро оторвав полосу ткани от нижней юбки, она прижала ее к ране. Рейчел не знала, насколько серьезно пострадал Зеб, но он не должен был умереть!

Луч солнца, проникнув сквозь грязное окно, упал на лицо старика. Он попытался подняться, но Рейчел удержала его.

— Я не смог вам помочь... Я подвел вас, когда вы во мне нуждались... — И Зеб потерял сознание.

Рейчел протянула руку к его револьверу, но Ред опередил ее, пинком отбросив оружие в сторону. Она поднялась, глядя Реду прямо в глаза. Гнев полностью вытеснил страх.

— Если Зеб умрет, тебе не жить!

— Сомневаюсь, леди. — Ред с усмешкой скользнул глазами по фигуре Рейчел. — Я собираюсь насладиться вашим телом, и если вы будете со мной ласковы... — Он пожал плечами. — Кто знает, может, я оставлю вас в живых.

— Мерзкий трус! Я лучше умру, чем позволю тебе дотронуться до меня!

— Воля ваша. Но у вас не осталось ни защитников, ни времени.

— Это у тебя не осталось времени, Ред, — послышался сзади холодный, как гранит, голос.

— Ноубл! — воскликнула Рейчел, чувствуя, как слезы обжигают ей глаза.

— Отойди от нее! — приказал Ноубл.

Ред вскинул голову и расхохотался:

— Проблема в том, что твое оружие в кобуре, а мое — нет. Совсем как в тот день, когда ты валялся лицом вниз на улице в Таскоса-Спрингс. Только тогда тебя защитила эта маленькая леди.

Ноубл шагнул ближе к нему:

— Мне не нужно оружие, чтобы справиться с тобой.

Ред с озадаченным видом склонил голову набок.

— О чем это ты?

— Нет, Ноубл, не делай этого! — взмолилась Рейчел.

Она с ужасом посмотрела на Реда, который только что застрелил двоих и сейчас направил револьвер на человека, которого она любила. В следующую секунду Ред схватил ее за плечи, притянул к себе и приставил дуло своего оружия к ее виску.

— Тебе нужно прятаться за женщиной, чтобы набраться смелости, Ред? Многие трусы так поступают.

Рейчел содрогнулась, чувствуя холодную сталь на своей коже. Она понимала, что Ноубл пытается отвлечь от нее внимание Реда. Ее взгляд упал на револьвер Зеба, лежавший на полпути между ней и кроватью, но она не могла до него дотянуться.

— Ни один человек, назвавший меня трусом, не оставался в живых! — свирепо рявкнул Ред. Бросив взгляд на Рейчел, он снова посмотрел на

Ноубла. — Я могу убить ее хоть сейчас и сделаю это, если ты не бросишь оружие! — пригрозил он.

Ноубл отстегнул пояс с кобурой и бросил его на пол. Он понимал, что, если не предпримет срочных мер, Ред без колебаний застрелит Рейчел.

— Если ты такой смелый, как говоришь, то убери оружие и дерись со мной как мужчина. — Ноубл играл на тщеславии Реда, надеясь, что он отпустит Рейчел. — Или ты боишься встретиться со мной лицом к лицу без посторонней помощи? Ты ведь здоровый парень, Ред! Наверняка сильнее меня. Спрячь оружие, и мы посмотрим, из какого теста ты сделан.

Ред посмотрел на свой револьвер и сунул его в кобуру.

— Да уж конечно, я сильнее тебя, ты, богатый маменькин сынок!

Они схватились посреди комнаты. Ред был крупнее и крепче, зато Ноубл — проворнее и сообразительнее. О Рейчел все забыли, поэтому она дотянулась до револьвера и прицелилась в Реда, но не могла выстрелить из страха попасть в Ноубла. Кроме того, она инстинктивно чувствовала, что Ноубл не приветствовал бы ее вмешательство. У него были свои счеты с Редом.

В коридоре собралась небольшая толпа, привлеченная звуками выстрелов. Все с интересом наблюдали за дракой.

Ред уперся ладонью в лицо Ноубла, пытаясь выдавить противнику глаза. Ноубл, ловко увернувшись, нанес ему внезапный апперкот в челюсть и отбросил его назад. Налетев на стул, Ред упал на пол, но быстро поднялся и с диким ревом ринулся на врага. Однако Ноубл был готов к атаке и резко шагнул в сторону. Ред ударился о стену с такой силой, что ему пришлось ухватиться за кровать, дабы снова не оказаться на полу.

— С тебя довольно? — осведомился Ноубл.

Оглушенный, Ред тряхнул головой. Пот и кровь слепили ему глаза. Вытерев их ладонью, он, словно бешеный бык, бросился на Ноубла и нанес ему страшный удар в подбородок. Ноубл отлетел к стене, но не потерял ни равновесия, ни спокойствия.

— Неплохо, Ред, — улыбнулся он. — Надеюсь, это лучшее, на что ты способен.

Среди зрителей послышался смех. Ред понял, что его снова унизили — как в Таскоса-Спрингс, — и гнев заставил его утратить всякую осторожность. Всем наблюдающим за схваткой было ясно, что преимущество на стороне Ноубла, сохраняющего осмотрительность и хладнокровие.

Ред снова атаковал Ноубла, но тот успел отскочить. Ударившись головой о железную кровать, Ред рухнул на пол и больше не шевелился. Он был без сознания.

28.

Зима стиснула в своих объятиях Западный Техас, и северные ветры почти ежедневно приносили на равнины морозный воздух.

Зебу еще никогда не уделяли столько внимания. Он поправлялся в спальне большого дома, где Рейчел и Уинна Мей обеспечивали его всем необходимым. Конечно, они варили не такой крепкий кофе, какой ему нравился, но напиток был вполне приемлемым — к тому же все недостатки компенсировали пирожки с кремом, которые готовила Уинна Мей.

Спустившись вниз с подносом, на котором громоздились пустые тарелки, Рейчел вошла в кухню, где экономка замешивала тесто.

— С аппетитом у Зеба все в порядке. Он уже и добавку съел.

Уинна Мей откинула с лица седую прядь, стараясь не испачкать волосы тестом.

— Старый плут уже может вставать, — засмеялась она. — А впрочем, пускай отлеживается. Я рада, что он выздоравливает.

— Не знаю, как бы я смогла жить, если бы с Зебом случилась беда. Я бы, наверное, никогда не оправилась от чувства вины.

— Он обожает тебя, Рейчел.

В дверь постучали. Рейчел поставила поднос на стол и пошла открывать. На крыльце стояли Ноубл и какой-то незнакомый мужчина.

— Входите, — пригласила Рейчел, жалея, что не надела платье вместо брюк.

Ноубл улыбнулся ей:

— Как Зеб?

— Наслаждается бездельем.

Рейчел посмотрела на человека, сопровождавшего Ноубла, ожидая, что ей его представят. Выглядел он немногим старше ее, у него были блестящие черные волосы до плеч, аккуратно зачесанные назад. Казалось, ему не по себе в черном костюме и сером шерстяном пальто — в его глазах отражалось беспокойство. Рейчел обратила внимание на чисто индейские черты лица и выдающиеся скулы.

— Мы можем повидать Уинну Мей? — спросил Ноубл.

— Сейчас я приведу ее, — ответила озадаченная Рейчел.

Вскоре она вернулась вместе с экономкой. Уинна Мей сняла фартук и приветливо улыбнулась Ноублу, который был явно чем-то взволнован.

Поколебавшись, Ноубл взял экономку за руку и подвел к молодому человеку, который до сих пор не произнес ни слова.

— Уинна Мей, я хочу представить вам вашего сына.

Рука экономки дрогнула, и она пошатнулась. Рейчел вскрикнула, на ее глазах выступили слезы.

Взгляд молодого индейца смягчился. Он подошел к Уинне Мей и произнес на безупречном английском:

— Мама, ты точно такая, какой описывал тебя отец.

Уинна Мей осторожно коснулась его лица, словно опасаясь, что это сон.

— Неужели это ты, Молчаливый?

— Да, но теперь меня зовут Тот, Кто Поднимается Высоко, — с гордостью отозвался он.

— Ты так похож на отца! — Уинне Мей очень хотелось обнять сына, но она знала, что индейскому воину не понравилось бы подобное проявление материнских чувств. — А твой отец...

— Он умер пять зим тому назад. Мы оба думали, что тебя нет в живых.

Уинна Мей подошла ближе к сыну, все еще не решаясь заключить его в объятия, но Тот, Кто Поднимается Высоко сам обнял мать своими сильными руками и прижал ее к груди.

— Я думал, мама, что у меня нет семьи, но теперь у меня есть ты.

Ноубл хотел уже увести Рейчел, чтобы оставить мать и сына наедине друг с другом, но экономка окликнула его, и он обернулся.

— Ноубл, я никогда не смогу отблагодарить вас за...

Он поднял руку:

— Меня незачем благодарить.

Ноубл увел Рейчел из комнаты. Некоторое время она стояла спиной к нему, потом повернулась со слезами на глазах.

— Я так благодарна тебе за все, что ты сделал для нас! Но больше всего за то, что ты нашел сына Уинны Мей. Ты видел, как она счастлива?

— Не надо. — Ноубл покачал головой. — Я не хочу твоей благодарности.

Рейчел посмотрела ему в глаза.

— Что-нибудь случилось? — спросила она, удивляясь, что он держится так отчужденно.

— Нет. А почему ты спрашиваешь?

Рейчел предложила ему сесть и выпить что-нибудь согревающее, но последнее предложение он отклонил. Она присела на край стула и снова внимательно посмотрела на него.

— Как тебе удалось разыскать сына Уинны Мей?

— Я не могу приписывать себе эту заслугу, Рейчел. Мой поверенный в Новом Орлеане нанял человека, который знал, где искать. Сегодня утром он привез молодого индейца в Каса дель Соль. Оказалось, что остатки его племени поместили в резервацию на территории Оклахомы. А потом сына Уинны Мей отправили в школу на восток, где он получил хорошее образование. Это все, что я знаю.

— Ты слишком скромен. Никто из нас никогда бы не смог отыскать его. — Рейчел опустила глаза. — Скажи, сына Уинны Мей не отправят назад в резервацию?

— Нет. Он может остаться здесь, или я найду для него другое место.

— Надеюсь, что он не захочет расставаться с матерью после стольких лет разлуки.

Ноубл все еще казался отчужденным. Рейчел никогда не видела его таким.

— Ты уверен, что не хочешь согреться? Ты ел?

Он глубоко вздохнул:

— Я ничего не хочу, Рейчел. Но у меня есть для тебя новости.

Она молча ожидала продолжения.

— Как тебе известно, шериф в Эль-Пасо поместил Реда в тюрьму в ожидании суда.

— Да, конечно, это самое подходящее для него место.

— Он мертв. Кто-то стрелял в него через решетку.

Рейчел побледнела:

— Кто... почему?

— Это я и хотел бы знать. Я уверен, что Харви и Ред пытались убить тебя, а потом Ред застрелил Харви, чтобы тот не разоблачил его как соучастника. Но теперь, выходит, кто-то застрелил Реда, чтобы заставить его молчать.

— Но это значит...

— Это значит, что опасность все еще существует, Рейчел. Тот, кто нанял их, может на этом не успокоиться.

— Ты пугаешь меня, Ноубл. Я уже начала чувствовать себя в безопасности, но если ты прав...

— Я только хочу сказать, что ты должна быть очень осторожна. Не езди верхом одна и не рискуй понапрасну.

— Но я не знаю никого, кто мог бы желать мне смерти!

Ноубл поднялся:

— Тем не менее кто-то этого желает.

Рейчел тоже встала и прошлась по комнате.

— Сейчас я не хочу это обсуждать, Ноубл. Я хочу рассказать тебе, что у меня на душе. Пожалуйста, выслушай меня и не прерывай, пока я не закончу.

Он молча кивнул.

— Мне нелегко говорить об этом... — Она подошла к окну и вернулась назад. — Твои родители выбрали для тебя подходящее имя, Ноубл. Когда я думаю о том, как я ошибалась на твой счет и скольким я тебе обязана, у меня разрывается сердце. Сможешь ли ты когда-нибудь простить меня?

— Мне нечего прощать.

— Есть. Если бы ты только знал, что я чувствую! Я...

— Ну?

— Я восхищаюсь тобой.

— И это все?

— Я... — Рейчел замолчала, не в силах облечь свои чувства в слова.

— Возможно, мне тоже следует рассказать, что я испытываю к тебе.

— Я и так это знаю. — Она тяжело вздохнула и опустилась на диван. — Ты считаешь, что я веду себя не так, как подобает леди, потому что скачу верхом, одеваюсь по-мужски и вечно попадаю в переделки. Ну что ж, значит, я не совсем леди...

Ноубл улыбнулся:

— Тебе и в самом деле недостает чопорности и благопристойности, но меня это не заботит.

— Я не умею шить и штопать, кухарка из меня никудышная, хотя я могу сварить кофе.

— Женщина, которая умеет сварить хороший кофе, это уже кое-что.

— Не дразни меня!

Ноубл сел рядом с ней и взял ее за руку.

— Вряд ли ты понимаешь, Рейчел, что ты сделала для меня. Ты вернула мне жизнь. Когда я возвратился в Техас, передо мной не было никакой цели. Но ты ворвалась в мой мир и сразу изменила его. Ты дала мне повод вставать по утрам и продолжать жить.

По щекам Рейчел покатились слезы.

— Ты слишком великодушен. Я не дала тебе ничего, кроме лишних хлопот.

Губы Ноубла изогнулись в усмешке.

— Что верно, то верно.

— Меня бы не удивило, если бы ты больше не захотел меня видеть...

Ноубл сразу стал серьезным.

— И тебе бы это понравилось?

— Нет!

Ноубл взял лицо Рейчел в ладони.

— Я не могу дышать без мыслей о тебе! Когда я гляжу на восход солнца, то думаю о том, видишь ли и ты эту красоту. Ты всегда со мной... — Казалось, он с трудом подбирает слова. — Ты выйдешь за меня, Рейчел?

Она опустила голову ему на плечо. Больше всего на свете ей хотелось стать его женой.

— Ты даже не сказал, что любишь меня, Ноубл.

Он поцеловал ее в лоб и привлек к себе.

— А что, по-твоему, я говорил?

Господи, неужели он в самом деле ее любит? «Пожалуйста, — мысленно взмолилась Рейчел, — пусть Ноубл любит меня так, как я люблю его!»

— Я люблю тебя, Ноубл, — сказала Рейчел вслух. — Люблю уже давно.

Его лицо озарила улыбка.

— Интересно, чего тебе стоило признаться в этом? Впрочем, я был уверен, что ты меня любишь.

— Откуда ты мог это знать?

— Иначе нам не было бы так хорошо вместе. Кроме того, я люблю тебя так сильно, что ты просто не можешь меня не любить.

Сердце Рейчел наполнилось счастьем. Но мысль о Делии все еще не давала ей покоя.

— Ты позволишь мне поговорить с сестрой, прежде чем дать тебе ответ или, по крайней мере, прежде чем мы объявим о помолвке?

— Ты все еще веришь, что я занимался любовью с Делией?

— Нет. — Рейчел коснулась его лица, удивляясь, как ей удалось завоевать любовь такого человека. — Я знаю, что это не так. Ты бы никогда не бросил женщину, зная, что она ждет от тебя ребенка. — Она заморгала, так как слезы снова навернулись ей на глаза. — Но я все-таки хочу сначала поговорить с Делией, потому что мне нужно рассказать ей о моей любви к тебе.

— Да, понимаю. Только сделай это побыстрее — я не могу больше ждать.

Глаза Ноубла блестели от страсти. Он поцеловал Рейчел, и она положила руку ему на грудь, прислушиваясь к ударам его сердца.

— К концу недели я поеду в Остин.

— Нет. Я не хочу, чтобы ты покидала ранчо. Пригласи свою сестру сюда.

— Почему я должна...

— Потому что я буду беспокоиться о тебе, если ты уедешь.

Рейчел по привычке хотелось возразить, но она послушно кивнула.

— Полагаю, мне нужно привыкать повиноваться твоим приказаниям. Хорошо, я напишу Делии и попрошу ее приехать немедленно.

Ноубл внезапно рассмеялся:

— Солнце никогда не взойдет на западе, так же и ты никогда не сможешь повиноваться никакому мужчине — даже мне. Оставайся такой, какая ты есть. Другая Рейчел мне не нужна.

Рейчел была озадачена, вспоминая его слова, что ему не нравится, когда другие мужчины видят ее в брюках. Интересно, что он думает об этом теперь?

— Начиная с сегодняшнего дня я больше никогда не буду носить брюки! — выпалила она.

Ноубл приподнял брови.

— В самом деле?

— Обещаю. Я всегда держу свое слово.

Ноубл крепче прижал ее к себе. Им внезапно овладело чувство собственника.

— Вот теперь я вижу, что ты всерьез собралась за меня замуж. А сейчас мне придется тебя покинуть. Я хочу поговорить с Зебом и Тэннером.

— Ты уходишь? — разочарованно протянула Рейчел.

— Если я останусь, то могу забыть, где мы находимся.

Ноубл вышел из кабинета, а Рейчел вдруг пришло в голову, что Зеб остался в большом доме не потому, что ему нравилось, как с ним носятся. Наверное, Ноубл и Уинна Мей хотели, чтобы он приглядывал за ней. А Тэннер, несомненно, должен был делать то же самое, когда она выходила из дому.

Счастье Рейчел вновь омрачил страх. Если Ноубл прав насчет Реда и Харви, значит, некто безликий и безымянный все еще пытается добраться до нее...

Хотя Рейчел не была трусихой, у нее пересохло во рту и болезненно сжалось сердце. Она чувствовала, что, кем бы ни был ее враг, он непременно сделает еще одну попытку.

29.

Небо было безоблачным, и день казался необычайно теплым для января. От снега, выпавшего на прошлой неделе, не осталось и следа.

Делия восседала на мягком кресле в гостиной, словно королева на троне, и потягивала чай из изящной фарфоровой чашки. Этот сервиз она сама подарила Рейчел на Рождество. Делия выглядела очень красивой в розовом платье с белыми кружевными манжетами и воротничком.

— Я просто не могу в это поверить, Рейчел. После стольких лет Уинна Мей нашла своего сына! — Делия с задумчивым видом поставила чашку на столик. — Естественно, старуха довольна. Она даже улыбнулась мне сегодня утром. Однако не слишком приятно видеть в доме индейца, даже если он ночует вместе с ковбоями.

Рейчел нахмурилась:

— Я хочу поговорить с тобой не об Уинне Мей.

— Так я и думала. Ты собираешься рассказать мне о тебе и Ноубле, верно?

Рейчел с удивлением посмотрела на нее:

— Откуда ты знаешь?

— Я твоя сестра и была бы дурой, если бы не догадалась, что вы любите друг друга.

— Это еще не все, Делия. Я хочу выйти за него замуж.

— Он сделал тебе предложение?

— Да.

— И тебе нужно мое благословение? — В голосе Делии послышались резкие нотки. — Хочешь, чтобы я санкционировала этот брак?

— Да, но больше всего я хочу, чтобы ты рассказала мне все, что знаешь о том дне, когда умер папа.

— Ты не веришь, что я была беременна от Ноубла?

— Раньше верила, но не теперь.

Делия со вздохом откинулась на спинку кресла.

— Я постоянно перебираю в памяти каждый момент этого ужасного дня. — Она поднесла к лицу дрожащую руку. — Когда я сообщила папе, что жду ребенка, мне показалось, что он собирается меня ударить. Он ведь никогда не любил меня так, как тебя, Рейчел. Я надеялась, что папа пожалеет меня, но напрасно. Он заявил, что всегда знал, какая я скверная, а потом потребовал, чтобы я сказала, кто отец ребенка. Я не хотела причинить вред ни Ноублу, ни папе. Просто я подумала, что если назову отцом ребенка Ноубла, то папа замнет это дело — ведь Ноубл был помолвлен с какой-то женщиной в Испании.

— Ты любила Ноубла?

— Какая женщина могла бы не полюбить его?

Рейчел сжала ледяную руку сестры:

— А кто был настоящим отцом, Делия?

— Какая разница? Важно одно: это был не Ноубл. — Вырвав руку, Делия встала и подошла к окну. — Тот человек ничего для меня не значил. Все вышло случайно. Как бы то ни было, папа схватил ружье и отправился в Каса дель Соль. — Она всхлипнула и закрыла лицо руками. — Я никогда не видела его в таком гневе. Он сказал, что Ноубл женится на мне или не доживет до завтра. — Делия повернулась к сестре. — В тот день я умирала сто раз, представляя себе, как Ноубл отрицает свое отцовство! Мне в голову не приходило, что все так обернется. — Она снова опустилась в кресло. — Лучше бы тот, кто застрелил папу, убил меня! Я каждый день расплачиваюсь за свою ошибку... — Делия помолчала. — Но Ноубл хранил мою тайну. Даже когда его обвинили в убийстве папы, он никому не сказал, что не является отцом моего ребенка. Насколько я его знаю, он и тебе не хотел в этом признаться, не так ли?

У Рейчел потеплело на душе при мысли о благородстве человека, которого она любила.

— Ноубл всегда настаивал, чтобы я спросила о том, что произошло между вами, у тебя. В конце концов он сказал мне правду, но только потому, что иначе разрушилась бы наша любовь.

— Так я и думала. Мне очень жаль.

— Теперь это уже неважно. — Рейчел снова взяла сестру за руку: — Но кто мог убить папу и подтасовать улики против Ноубла, Делия?

— Долгое время я этого не знала. — Она склонила голову, как будто какая-то тяжесть придавливала ее к земле. — Недавно у меня возникли подозрения, но я ни в чем не уверена.

— Расскажи мне!

Взгляд Делии вдруг стал отсутствующим. Она поднялась и, пошатываясь, направилась к лестнице. Только сейчас Рейчел поняла, что она пьяна.

— Мне нужно лечь.

— Но...

Делия махнула рукой и вышла из комнаты. Некоторое время Рейчел сидела неподвижно, глядя перед собой. Что все это значит? Кто был отцом ребенка Делии и кто убил их отца?

Ей захотелось выйти на свежий воздух. Разговор с Делией пробудил ужасные воспоминания о том дне, когда их отец был убит.

Рейчел направилась в новую, быстро отстроенную конюшню, оседлала Фаро и поскакала галопом к реке — единственному месту, где она могла подумать без помех.

Подъехав к Брасос, Рейчел пожалела, что не захватила куртку, так как ветер вновь подул с севера, принося зловещий холод. Она спешилась и подошла к кромке воды, вспоминая счастливые минуты, проведенные здесь с Ноублом, и стараясь не думать о том дне, когда в нее стреляли.

— Ну и ну, кого я вижу!

Рейчел не слышала, как к реке подъехал Уит. Обернувшись, она увидела, что он спешился и направляется в ее сторону. Ей стало не по себе.

— Я думала, ты в Остине, — сказала Рейчел, поднявшись и бросив взгляд на ружье, прикрепленное к ее седлу. — Что ты здесь делаешь, Уит?

Он подошел ближе.

— Неужели я не могу посетить мою прелестную свояченицу, если мне этого хочется?

— Я говорила тебе, чтобы ты держался от меня подальше!

— Это невозможно, дорогая. Я не в силах выбросить тебя из головы.

Рейчел захлестнула волна ненависти.

— Я презираю тебя за то, что ты делаешь с моей сестрой и пытался сделать со мной. Если ты не оставишь меня в покое, я расскажу Делии, как ты хотел меня изнасиловать.

Уит схватил ее за руку и притянул к себе.

— Я знал, что буду обладать тобой, с того момента, как увидел вас с Ноублом. Вы резвились в воде обнаженные. — Он кивнул в сторону реки. — Это ведь было здесь, не так ли?

Рейчел поразила ужасная догадка.

— Значит, это ты стрелял в меня в тот день?

Губы Уита растянулись в злобной улыбке, в глазах блеснула ненависть. Ничего мальчишеского в нем не осталось.

— Да, я сделал это! Я не мог допустить, чтобы Ноубл овладел тобой, как раньше овладел моей женой. Он всегда получал все, что хотел, а мне приходилось добиваться всего тяжелым трудом.

Сердце Рейчел заколотилось от страха.

— Ты убил моего отца!

— Это тоже сделал я, — признался Уит. — В тот день я пришел навестить Делию. Ни она, ни ее отец не знали, что я подслушал их разговор о ребенке. День был жаркий, и окна оставались открытыми. Я стоял на крыльце и слышал каждое слово. Я всегда ненавидел Ноубла, но никогда еще моя ненависть не была такой сильной, как в тот день. Ускользнув потихоньку, я стал поджидать, пока твой отец переправится через реку.

— Но как ты завладел револьвером Ноубла?

Казалось, Уит жаждет рассказать ей обо всем. Рейчел понимала, что теперь он не отпустит ее живой, и старалась отвлечь его разговорами в надежде, что подоспеет помощь.

— Это было нетрудно. Я последовал за твоим отцом в Каса дель Соль и спрятался в кустах. Сначала я собирался убить Ноубла, но, когда слушал их разговор, мне в голову пришел другой план. Разумеется, наш золотой мальчик отрицал свою связь с Делией, и твой папаша, как последний дурак, поверил ему.

Страх Рейчел уступал место гневу, но ей приходилось сдерживать его.

— Каким же образом ты раздобыл револьвер? — повторила она.

— Очень просто. Разговаривая со стариком, Ноубл снял кобуру и положил на стол в гостиной. Когда оба ушли, Ноубл забыл взять свое оружие. Я прихватил его и последовал за твоим отцом. Об остальном ты можешь догадаться. Твой старик так и не узнал, кто застрелил его. Пуля попала прямо в сердце. Я бросил револьвер рядом с трупом и спокойно уехал.

К горлу Рейчел подступила тошнота. Ей казалось, будто у нее в животе копошится скользкая змея.

— Ты чудовище! — Слезы обожгли ее глаза. — Как ты мог убить моего отца? Он не сделал тебе ничего плохого.

— Я хотел жениться на Делии и только так мог заполучить ее. Она нуждалась в отце для своего ребенка, и я согласился на эту роль. Но я был рад, когда она потеряла это испанское отродье. Мне не улыбалось растить ребенка другого мужчины — тем более Ноубла Винсенте.

— Делия не любила тебя.

— Нет, она любила испанского золотого мальчика. Но он ей не достался, верно?

Рейчел снова попробовала освободиться, но Уит был слишком силен для нее. Она пыталась не замечать растущую панику, продолжая отвлекать его разговорами:

— Это ты запер меня в конюшне и поджег ее?

Уит улыбнулся:

— Как умно с твоей стороны догадаться об этом! — Его взгляд стал жестким. — Я нанял этих придурков, Харви и Реда, чтобы избавиться от тебя, но они только все испортили. Ред должен был убрать Ноубла, но ему и это не удалось. Правда, он оказал мне услугу, прикончив Харви, чтобы заставить его молчать. А я по той же причине застрелил Реда. Но никто никогда не заподозрит меня в причастности к их гибели. — Его рука скользнула к шее Рейчел. — И в твоей смерти меня тоже никто не обвинит. Я все неплохо рассчитал, не так ли?

— Ты чудовище!

Внезапно поблизости раздался выстрел. Уит от неожиданности ослабил хватку, и Рейчел смогла вырваться. Делия шагнула из-за дерева, направив револьвер на Уита.

— Ты убил моего отца, а теперь угрожаешь моей сестре. — Делия плакала, но ее рука крепко держала оружие. — Я не позволю тебе причинить вред Рейчел.

— Дорогая, — вкрадчивым тоном произнес Уит, — я сделал все это, потому что люблю тебя.

— Стой на месте, Уит! Я знала, что ты честолюбивый и бессовестный человек, но мне и в голову не приходило, что ты такое чудовище. — Делия содрогнулась, думая о том, что он прикасался к ней после того, как убил ее отца. — Ты во всем признаешься шерифу Гриншо.

— Опомнись, Делия! В Техасе у нас большое будущее. Не можешь же ты так просто отказаться от него. Если убрать Рейчел, ты унаследуешь «Сломанную шпору», а я когда-нибудь стану губернатором. У нас будет все, что мы пожелаем...

— Неужели ты думаешь, что я ради этого способна убить свою сестру? Ты безумен, Уит. Я не буду знать покоя, пока тебя не повесят за убийство моего отца.

Он шагнул к ней:

— Отдай мне оружие, Делия! Ты же знаешь, что никогда им не воспользуешься.

— Неужели? — Слезы потекли по ее щекам. — Прости, Рейчел, что я подвергла тебя опасности, позволив общаться с таким человеком, как Уит. Клянусь тебе, я никогда не думала, что он... — Она вытерла глаза. — Я смотрела в окно, как ты уезжаешь, а потом увидела, что он последовал за тобой, и внезапно все у меня в голове встало на свои места. Теперь мне кажется, что я всегда все знала, просто не хотела этому верить. Но в тот момент я уже не сомневалась, что Уит попытается убить тебя, поэтому взяла револьвер и последовала за ним. И очень рада, что так поступила.

Уит придвинулся еще ближе к Делии.

— Твоя сестра всего лишь шлюха, задирающая юбку перед Ноублом, как делала и ты! Я видел это своими глазами!

Делия покачала головой:

— Я никогда не была с Ноублом, Уит. Ребенок, которого я носила и от которого ты заставил меня избавиться, был от твоего брата Фрэнка — да, от этого пьяницы с грязью под ногтями. Я никогда не хотела его — все произошло случайно. Я не намеревалась выходить замуж за Фрэнка, поэтому не могла рассказать никому — даже ему самому, — что он отец моего ребенка.

Уит с яростным воплем бросился к Делии. Она закрыла глаза и нажала на спуск.

Рейчел, словно в трансе, наблюдала, как колени Уита подогнулись и он рухнул наземь. Протянув руку к Делии, Уит схватил ее за подол платья и поднял голову.

— Я... любил тебя... Де... — Платье выскользнуло у него из пальцев, тело судорожно дернулось, и он испустил дух.

Наступило долгое молчание. Потом Делия посмотрела на сестру:

— Я должна была сделать это, Рейчел. Он убил папу и убил бы тебя. — Она стояла, не глядя на мертвое тело мужа. — Боже, прости меня!

Рейчел подбежала к сестре и обняла ее.

— Я знаю, что тебе пришлось это сделать, Делия. И шериф наверняка это поймет. Теперь все будет в порядке. — Она взяла револьвер из онемевших пальцев сестры и повела ее к лошадям.

— Почему он убил папу? — озадаченно спросила Делия.

— Не знаю. — Рейчел не хотела расстраивать сестру еще сильнее — она боялась, что Делия и так не скоро придет в себя после происшедшего. — Я поклялась на могиле отца отомстить за его смерть. Но ты выполнила это обещание за меня. Папа гордился бы тобой.

— Правда?

— Конечно. Ну, поехали домой.

* * *

Вскоре весь Техас узнал о трагедии на берегу Брасос. Учитывая обстоятельства и благодаря сочувствию шерифа Гриншо, Делию даже не стали вызывать в суд. Она поклялась никогда не возвращаться в Остин — к той жизни, которая сделала ее несчастной.

В течение всего этого времени Ноубл был рядом с сестрами, и Рейчел подозревала, что соседи проявляют к Делии такую доброту не без его участия.

После трагедии Делия редко покидала свою комнату. Уинна Мей заботилась о ней и в конце концов убедила, что следует забыть о прошлом и начать жить снова. Больше Делия никогда не прикасалась к алкоголю. Рейчел догадывалась, что это Уит приучал ее к выпивке.

Немало помощи оказал и Тэннер. Не было дня, чтобы он не принес Делии букет полевых цветов, конфеты, красивую ленту или еще какой-нибудь подарок. Вскоре Делия снова смеялась и флиртовала с Тэннером, глядя на него сияющими глазами. Рейчел очень хотелось, чтобы они полюбили друг друга. Тэннер был добрым человеком и наверняка относился бы к ее сестре с уважением — не то что Уит. Рейчел мечтала, что они когда-нибудь поженятся и будут жить в «Сломанной шпоре». Хотя раньше Делия не любила ранчо, теперь оно стало ее убежищем.

30.

В ночь перед свадьбой Рейчел была так счастлива, что не могла заснуть. Она на цыпочках спустилась вниз, надеясь, что стакан молока поможет ей расслабиться, и обнаружила на кухне Уинну Мей, сидящую за столом с чашкой чая.

— Я предполагала, что ты можешь спуститься, и ждала тебя, Рейчел.

— Ты слишком хорошо меня знаешь.

— Да.

— Уинна Мей, хотя я завтра уезжаю, знай, что «Сломанная шпора» всегда будет домом для тебя и твоего сына.

Несколько секунд экономка молчала.

— Мы не останемся здесь после твоего отъезда, — сказала она наконец.

Рейчел была обескуражена.

— Ты тоже собираешься уехать? Что же я буду делать без тебя?

Уинна Мей улыбнулась:

— Я всего лишь переберусь через реку. Ноубл попросил меня стать там экономкой. Его вакерос будут учить моего сына работе на ранчо.

Рейчел положила ладонь на руку Уинны Мей.

— Я рада, что ты останешься со мной.

— Ты знаешь, что Зеб нанялся присматривать за лошадьми Ноубла?

— Да. — Рейчел улыбнулась и добавила, подражая хриплому голосу Зеба: — «Ноубл, я переберусь через реку вместе с мисс Рейчел. Она не может без меня, а я — без нее. Мы с ней, как одна семья».

Обе засмеялись. Потом Рейчел вдруг стала серьезной и опустила глаза, водя пальцем по узору на скатерти.

— Я боюсь, Уинна Мей.

— Почему? Ты выходишь замуж за человека, которого любишь и который любит тебя. Чего ты боишься?

— Я слишком счастлива и боюсь, что это долго не продлится. Вдруг что-нибудь пойдет не так?

Уинна Мей похлопала ее по руке:

— Воспринимай каждый день жизни, как дар божий. Ты пережила тяжелое время, Рейчел. Я видела, как ты боролась, чтобы сохранить ранчо, и плакала, не зная, что я за тобой наблюдаю. Теперь пришла пора подумать о собственном счастье и беречь ту любовь, которую вы с Ноублом испытываете друг к другу.

Глаза Рейчел наполнились слезами.

— Я буду беречь нашу любовь, Уинна Мей. Все, что я хочу, это сделать Ноубла счастливым.

Экономка кивнула:

— Если я когда-нибудь видела счастливого человека, то это Ноубл Винсенте в тот момент, когда он смотрит на тебя.

* * *

Теплый весенний ветер шевелил яркие полевые цветы на равнинах Западного Техаса. В этот солнечный день все население округа Мадрагон собралось у церкви на церемонию бракосочетания.

Когда Рейчел и Ноубл произносили клятвы перед алтарем, за окном раздавались трели пересмешника, поющего серенаду в их честь. Глядя в темные глаза Ноубла, Рейчел чувствовала, как его любовь обволакивает ее теплым покрывалом, надежно защищая от невзгод.

Наконец их объявили мужем и женой, и они начали принимать поздравления от родных и друзей. Сабер поцеловала Рейчел в щеку.

— Теперь у меня есть сестра! Мне почти жаль, что я сегодня уезжаю в Монтану, чтобы выйти замуж за моего янки.

Рейчел крепко обняла ее.

— Надеюсь, ты будешь так же счастлива, как я сейчас.

— Обязательно буду!

Сабер подошла к брату, который заключил ее в объятия, а Рейчел взяла за руки Делию.

— Тебе будет хорошо в «Сломанной шпоре», вот увидишь.

Делия улыбнулась:

— Я чувствую, что наконец-то вернулась домой, Рейчел. Возможно, через год мы с Тэннером... — Она оборвала фразу и покраснела. — Он не похож на Уита, и это говорит в его пользу. Ну, посмотрим.

Между тем миссис Мак-Ви объявляла всем, кто хотел ее слушать, будто она никогда не сомневалась, что Рейчел и Ноубл поженятся.

* * *

Войдя в дом, Ноубл обнял Рейчел.

— Наконец-то мы одни!

Рейчел прижалась к его груди.

— Я слишком счастлива, чтобы говорить.

Он приподнял ее подбородок и поцеловал в губы.

— Моя жена — Зеленые Глаза! Мне нравится, как это звучит.

— Рейчел Винсенте... Мне тоже это нравится.

Ноубл взял Рейчел на руки и понес наверх. Войдя в спальню, он поставил ее на пол. Комнату освещало несколько ламп. Рейчел ожидала, что Ноубл отнесет ее в свою старую спальню, но эта комната была гораздо больше, а за открытой дверью виднелся просторный балкон.

— Ведь это не твоя спальня — не та, в которой я поправлялась после ранения.

— Это главные апартаменты. Но если ты предпочитаешь комнату поменьше...

— Нет, мне здесь нравится.

Рейчел догадывалась, что Сабер приложила руку к обстановке. Массивная испанская мебель, украшенная тонкой резьбой, идеально подходила к просторному помещению. Бордовые и кремовые тона органично сочетались, радуя глаз.

Ноубл подвел Рейчел к большой кровати красного дерева с вырезанными на ней павлинами.

— Я родился на этой кровати, — объяснил он, — и хочу, чтобы наши дети тоже родились здесь.

— Дети? О господи, я так люблю тебя, Ноубл.

Он коснулся ее щеки.

— Я тоже люблю тебя — уже очень давно, хотя и не всегда осознавал это.

— А когда ты впервые понял, что любишь меня? — чисто по-женски поинтересовалась она.

— Думаю, в тот день, когда ты наблюдала, как я объезжаю Фаро. Я посмотрел тебе в глаза, и меня словно поразило громом. Конечно, тогда ты была еще слишком юной, и я пытался сдержать свои чувства. Ну а потом... Признаюсь, что во время моего отсутствия я думал о тебе только с горечью — ведь ты считала, что я убил твоего отца.

— Не будем вспоминать об этом. А знаешь, я хорошо помню тот день, когда ты подарил мне

Фаро. Впервые я почувствовала себя женщиной, и это напугало меня.

Ноубл взял ее за плечи и посмотрел ей в глаза.

— А ты когда-нибудь испытывала такие чувства к другому мужчине?

— Нет. — Она разгладила морщинку у него на лбу. — Ты всегда был для меня единственным.

Ноубл обошел комнату и погасил все лампы, кроме одной. Когда он вернулся к Рейчел, она закрыла глаза, желая навсегда запомнить этот момент. Она пришла в дом Ноубла как его жена, и теперь они всегда будут вместе! Когда-то она была несправедлива к нему, но теперь исправит все свои ошибки.

Во дворе зазвучали испанские гитары, аккомпанируя красивому голосу. Ноубл улыбнулся и открыл окно, чтобы лучше слышать музыку.

— Вакерос поют для новой хозяйки Каса дель Соль, — сказал он. — Это их подарок тебе.

Рейчел поднялась на цыпочки и поцеловала Ноубла в губы. Она чувствовала дрожь при одной мысли о том, что скоро будет лежать в его объятиях. Но теперь им не придется расставаться — они могут засыпать и просыпаться вместе.

Больше никакие тени не нависают над ними.

Ноубл быстро расстегнул свадебное платье, и оно соскользнуло на пол к ногам Рейчел. Его одежда отправилась следом, и он, подняв Рейчел на руки, отнес ее на кровать и лег рядом.

Рейчел скользила губами по шее Ноубла и вспоминала тот день у колодца, когда ей так хотелось сделать это. Но тогда шестнадцатилетняя девушка не могла надеяться, что выйдет замуж за красивого испанца, похитившего ее сердце...

Она подняла голову и посмотрела ему в глаза.

— Ты необыкновенный человек, Ноубл.

Он улыбнулся такому неожиданному комплименту.

— И кто же подал вам эту идею, миссис Винсенте?

— Ты, — ответила Рейчел.

Она запрокинула голову, изнемогая от желания. Потом она скажет мужу, какой он замечательный. А сейчас...

Только вздохи и произносимые шепотом слова любви иногда слышались на фоне испанских гитар.

* * *

Позже Рейчел лежала в объятиях Ноубла, и оба наблюдали за прихотливыми рисунками, которые отбрасывал лунный свет сквозь кружевные оконные занавески.

— У нас был довольно странный период ухаживания, — заметила она, притворяясь серьезной.

— В каком смысле? — спросил он, целуя ее щеку.

— Я долго решала, застрелить тебя или поцеловать.

Ноубл усмехнулся:

— Я рад, что ты выбрала последнее, зная твою меткость.

Рейчел вдруг вспомнила тот день, когда он вернулся домой и она целилась в него из ружья. Вздрогнув, она прижалась к нему и прошептала:

— Я так сильно тебя люблю!

— Хочешь услышать о том, как ты впервые вошла в мою жизнь? — спросил Ноубл.

— Если ты хочешь мне об этом рассказать. — Рейчел потерлась носом о его ухо.

— Прекрати, иначе я не смогу рассказывать.

Она улыбнулась и скрестила руки на груди.

— Я вся внимание.

— Правда?

— Si.

Взгляд Ноубла стал мечтательным. Казалось, он тоже перенесся в прошлое.

— Ты удивишься, узнав, сколько тебе тогда было лет.

Рейчел приподнялась на локте.

— И сколько же?

— Впервые я услышал о тебе, когда вокруг говорили, что твоя мать родила вторую дочку. Хотя всему округу было известно, что твой отец хотел сына.

Она улыбнулась.

— Знаю.

— Несколько раз я видел тебя издалека, но не обращал никакого внимания. В конце концов, какой интерес могла вызвать маленькая девчушка у восьмилетнего мальчика?

Рейчел была заинтригована.

— Надеюсь, ты не собираешься сообщить мне, что влюбился в меня, когда я была младенцем?

— Я не упоминал о любви. Я говорю о том, как ты вошла в мою жизнь. — Он помолчал, словно вспоминая. — До того, как на берегу построили новую методистскую церковь, она находилась напротив католической, которую посещала моя семья.

— Я помню. — Рейчел внимательно посмотрела на Ноубла. — Я методистка, а ты католик. Для тебя это имеет значение?

— Нет.

— Для меня тоже. Мы преодолели более серьезные расхождения, чем разница в религии.

Ноубл улыбнулся.

— Верно. — Он привлек ее к себе и продолжал рассказ: — Однажды в воскресенье — это было весной, и тебе тогда, наверное, было около года — наши почтенные семьи, явившись на службу, встретились посреди дороги. Наши матери были подругами, и моя мама взяла тебя на руки.

— Я плохо помню твою мать. Она умерла вскоре после моей.

— В тот день мое внимание привлекли твои рыжие волосы — довольно длинные для такого маленького ребенка. Я подошел ближе, чтобы получше тебя рассмотреть. Ты походила на херувима — я не видел никого красивее тебя. Мне так хотелось потрогать твои локоны, но я не стал этого делать, а только смотрел на твое личико. И ты улыбнулась мне! Меня поразили твои зеленые глаза. Потом, к моему удивлению, ты протянула ко мне ручонки, и мне пришлось подхватить тебя. Придя в себя, я осознал, что твоя головка лежит на моем плече, а пальчики трогают мою щеку. Сначала я боялся, что это увидят мои друзья и будут смеяться надо мной, но ты вдруг прижалась губами к моей щеке, и я понял, что пропал навсегда. Не буду утверждать, что влюбился в тебя в тот день, но с тех пор при каждой нашей встрече я пытался заглянуть тебе в глаза. Мне казалось, что они блестят как-то по-особенному, когда ты смотришь на меня.

— Это потому, что ты такой красивый. — Рейчел улыбнулась. — Значит, вам нравятся мои глаза, хозяин?

Ноубл внезапно нахмурился:

— Тот день, когда я увидел в этих глазах ненависть, был худшим в моей жизни.

Рейчел хотелось стереть воспоминания об этом дне — и о тех, что последовали за ним.

— Ноубл, мне так жаль...

Его лицо прояснилось, а рука скользнула по ее груди.

— С недавнего времени меня восхищают не только твои глаза.

— А что еще?

Ноубл коснулся губами ее губ, потом провел пальцами по волосам Рейчел.

— А еще — твои ароматные волосы, твои губы, твоя нежная кожа... Я люблю тебя всю! — Внезапно он стал серьезным. — Пришло время повесить на стену твое ружье. Теперь я буду оберегать тебя, Зеленые Глаза.

Литературно-художественное издание

Констанция О'Бэньон

ПЛАЩ И МАНТИЛЬЯ

Редактор *О. Турбина*
Художественный редактор *С. Курбатов*
Технический редактор *Н. Носова*
Компьютерная верстка *Т. Комарова*
Корректор *Е. Родишевская*

ООО «Издательство «Эксмо».
107078, Москва, Орликов пер., д. 6.
Интернет/Home page — www.eksmo.ru
Электронная почта (E-mail) — info@ eksmo.ru

По вопросам размещения рекламы в книгах издательства «Эксмо»
обращаться в рекламное агентство «Эксмо». Тел. 234-38-00

Книга — почтой: Книжный клуб «Эксмо»
101000, Москва, а/я 333. E-mail: bookclub@ eksmo.ru

Оптовая торговля:
109472, Москва, ул. Академика Скрябина, д. 21, этаж 2
Тел./факс: (095) 378-84-74, 378-82-61, 745-89-16
Многоканальный тел. 411-50-74. E-mail: reception@eksmo-sale.ru

Мелкооптовая торговля:
117192, Москва, Мичуринский пр-т, д. 12/1. Тел./факс: (095) 932-74-71

ООО «Медиа группа «ЛОГОС».
103051, Москва, Цветной бульвар, 30, стр. 2
Единая справочная служба: (095) 974-21-31. E-mail: mgl@logosgroup.ru

ООО «КИФ «ДАКС». 140005 М. О. г. Люберцы, ул. Красноармейская, д. 3а.
т. 503-81-63, 796-06-24. E-mail: kif_daks@mtu-net.ru

Книжные магазины издательства «Эксмо»:
Москва, ул. Маршала Бирюзова, 17 (рядом с м. «Октябрьское Поле»). Тел. 194-97-86.
Москва, Пролетарский пр-т, 20 (м. «Кантемировская»). Тел. 325-47-29.
Москва, Комсомольский пр-т, 28 (в здании МДМ, м. «Фрунзенская»). Тел. 782-88-26.
Москва, ул. Сходненская, д. 52 (м. «Сходненская»). Тел. 492-97-85
Москва, ул. Митинская, д. 48 (м. «Тушинская»). Тел. 751-70-54.

Северо-Западная Компания представляет
весь ассортимент книг издательства «Эксмо».
Санкт-Петербург, пр-т Обуховской Обороны, д. 84Е
Тел. отдела рекламы (812) 265-44-80/81/82/83.

Сеть магазинов «Книжный Клуб СНАРК» представляет
самый широкий ассортимент книг издательства «Эксмо».
Информация о магазинах и книгах в Санкт-Петербурге по тел. 050.

Вы получите настоящее удовольствие, покупая книги в магазинах ООО «Топ-книга»
Тел./факс в Новосибирске: (3832) 36-10-26. E-mail: office@top-kniga.ru

Всегда в ассортименте новинки издательства «Эксмо»:
ТД «Библио-Глобус», ТД «Москва», ТД «Молодая гвардия»,
«Московский дом книги», «Дом книги в Медведково», «Дом книги на ВДНХ».
Книги издательства «Эксмо» в Европе: www.atlant-shop.com

Подписано в печать с готовых диапозитивов 10.12.2002.
Формат 84x108$^1/_{32}$. Гарнитура «Таймс». Печать офсетная. Бум. газ.
Усл. печ. л. 16,8. Уч.-изд. л. 11,4.
Тираж 7000 экз. Заказ 4202330.

Отпечатано на ФГУИПП «Нижполиграф».
603006, г. Нижний Новгород, ул. Варварская, 32.